La collection « Quai n° 5 »
est dirigée par Tristan Malavoy-Racine.

La tempête

Gabriel Anctil

La tempête

roman

Catalogage avant publication de Bibliothèque et Archives nationales du Québec et Bibliothèque et Archives Canada

Anctil, Gabriel, 1979-

    La tempête

    (Quai n° 5)

    ISBN 978-2-89261-906-5

    I. Titre. II. Collection : Quai n° 5.

PS8601.N336T45 2015   C843'.6   C2015-940002-3

PS9601.N336T45 2015

Les Éditions XYZ bénéficient du soutien financier des institutions suivantes pour leurs activités d'édition :

– Conseil des arts du Canada ;

– Gouvernement du Canada par l'entremise du Fonds du livre du Canada (FLC) ;

– Société de développement des entreprises culturelles du Québec (SODEC) ;

– Gouvernement du Québec par l'entremise du programme de crédit d'impôt pour l'édition de livres.

Édition : Tristan Malavoy-Racine

Révision linguistique : Sophie Marcotte

Correction d'épreuves : Élaine Parisien

Conception typographique et montage : Édiscript enr.

Conception et graphisme de la couverture : David Drummond [salamanderhill.com]

Photographie de l'auteur : Jorge Camarotti

ISBN version imprimée : 978-2-89261-906-5

ISBN version numérique (PDF) : 978-2-89261-907-2

ISBN version numérique (ePub) : 978-2-89261-908-9

Dépôt légal : 1er trimestre 2015

Bibliothèque et Archives nationales du Québec

Bibliothèque et Archives Canada

Diffusion/distribution au Canada :

Distribution HMH

1815, avenue De Lorimier

Montréal (Québec) H2K 3W6

www.distributionhmh.com

Diffusion/distribution en Europe :

Librairie du Québec/DNM

30, rue Gay-Lussac

75005 Paris, FRANCE

www.librairieduquebec.fr

Imprimé au Canada

quaino5.com

Alors, c'est ça l'enfer. Je n'aurais
jamais cru… Vous vous rappelez: le
soufre, le bûcher, le gril… Ah! quelle
plaisanterie. Pas besoin de gril: l'enfer, c'est les Autres.

JEAN-PAUL SARTRE, *Huis clos*

JOUR 1
7 janvier 1998

« Tout va bien aller. » L'affirmation de Marie prenait des airs de prière. Une imploration lancée dans le vide qui trahissait son immense nervosité. Ni Louis, son mari, ni Jean, son fils adoré, ne répondirent, trop absorbés qu'ils étaient à contempler le paysage apocalyptique qui les entourait : des quartiers plongés dans l'obscurité, des routes fantômes, des feux de circulation éteints, des branches cassées qui s'accumulaient partout par milliers, des arbres centenaires renversés, des fils électriques rompus qui oscillaient dangereusement au gré des bourrasques ; puis, à intervalles réguliers, POW ! des explosions violentes de transformateurs, et CRAC ! des branches qui se fendaient dans un fracas rappelant celui de la foudre.

Louis détourna les yeux de la catastrophe pour interroger ceux de sa femme, terrifiée à l'idée d'être hébergée par les membres de sa propre famille.

— T'es certaine que tu veux vivre ça ?

— Est-ce qu'on a vraiment le choix ?

— Tu sais ce qui t'arrive quand le stress devient trop grand…

— Y a pus de place dans les hôtels.

— On peut encore quitter l'île et rouler jusqu'à un motel.

— C'est trop dangereux. Et pis faut que j'tourne la page sur ce qui est arrivé, que j'fasse la paix avec mon frère. Ça fait trop longtemps que ça traîne entre nous...

Louis lui serra la main en la regardant intensément.

— J'vais être là, avec toi. T'es pas seule.

Jean écoutait la discussion sans comprendre ni réclamer d'explications. Il venait d'avoir quatorze ans. Il ne pouvait dire avec exactitude quand ça s'était produit, mais il avait le puissant sentiment d'avoir été expulsé de l'enfance, contre son gré. Depuis, il ne réussissait pas toujours à donner un sens précis à l'univers qui l'entourait, dépassé par sa vertigineuse complexité.

Le ciel lourd écrasait Montréal sous sa satanée pluie verglaçante, qui ne cessait de tomber et de semer la destruction sur son passage. Après deux jours sans électricité, Jean et ses parents avaient quitté leur maison et fui leur quartier, Notre-Dame-de-Grâce, parmi les plus touchés de la ville. En avançant dans la nuit, à la lueur des phares de la voiture, ils captaient l'ampleur de la destruction : le verglas avait tordu et démoli sans répit, les routes étaient parsemées de débris. Louis et Jean avaient dû sortir du véhicule à plusieurs reprises pour déplacer des branches qui retardaient leur progression vers une lointaine chaleur.

La situation s'était dégradée à la vitesse grand V. En quarante-huit heures seulement, un simple avertissement de verglas, auquel les Montréalais avaient à peine porté attention, s'était transformé en un véritable désastre naturel dont l'ampleur avait rapidement dépassé les autorités. Montréal paraissait en situation de guerre. Fragile et vulnérable comme jamais.

— Tout va bien aller, répétait Marie comme une litanie. On va être bien. À cause de l'hôpital Sainte-Justine qui est à côté, les fils électriques de la maison sont enterrés, donc pas de danger de perdre l'électricité. Y suffit d'arriver pis tout va être OK.

Le tremblement de sa voix contredisait ses paroles d'espoir ; plus la voiture approchait de sa destination, plus l'inquiétude noyait ses espérances. L'atmosphère était lourde comme du plomb et Marie avait l'impression de courir à sa perte. Mais il fallait panser les blessures et libérer les spectres du passé.

Stoïque au volant de sa Mercedes de l'année, Louis gardait la tête haute, affrontant tous les dangers. Jean subissait les événements avec calme et insouciance, curieux même d'assister à la suite des choses. C'était nouveau pour lui, cette chute des repères, l'aventure de la catastrophe, puis cette visite inattendue à la maison familiale où il n'avait jamais mis les pieds. Car de famille agrandie, Jean n'en avait pour ainsi dire jamais eu. La famille de son père, enfant unique comme lui, vivait à Sept-Îles. Autant dire l'autre bout du monde, où Louis refusait de remettre les pieds pour des raisons qui lui appartenaient. Ses parents ne lui avaient jamais pardonné d'avoir déserté la Côte-Nord pour la grande ville. Jean n'avait rencontré ses grands-parents paternels que quatre ou cinq fois dans sa vie, mais aucun lien affectif durable n'en avait résulté.

Puis du côté maternel, à part sa grand-mère Irène qu'il adorait et qui l'avait gardé toute son enfance, il ne croisait son oncle Arthur et sa tante Manon au restaurant qu'une seule fois par année, tradition oblige, le 1ᵉʳ janvier. Marie n'adressait alors à peu près pas la parole à son frère qui, de son côté, prenait un malin plaisir à raconter des histoires qui s'étiraient pendant toute la durée du souper.

Jean n'avait ni cousins ni cousines. Il n'avait jamais assisté à un enterrement ou à un mariage. Ses parents et lui menaient une vie à trois, isolés. Il était donc plutôt excité de partager l'intimité de ces humains entraperçus qui, dans ces circonstances extrêmes, leur avaient lancé une bouée et offert le gîte.

De nouveaux visages l'aideraient peut-être même à sortir de sa coquille, à s'ouvrir à de nouvelles réalités. Jean rêvait de voyages et de conquêtes féminines, mais se contentait de livres et de solitude. Pourtant, en ce moment, il se sentait confiant. Une sorte d'excitation parcourait même son cerveau. Et si le destin lui réservait enfin autre chose qu'un rôle de figuration ?

Louis se tourna vers sa femme et lui caressa délicatement la nuque. Elle apprécia et lui sourit.

— Si j'survis à ça, plus rien pourra m'arrêter.

— …

— Tout va bien aller.

Louis acquiesça puis se stationna quelques coins de rue plus loin, chemin de la Côte-Sainte-Catherine, devant une immense demeure en pierre qui resplendissait de lumière.

Jean avait à peine touché la sonnette que la porte s'ouvrit et que son oncle Arthur apparut.

— Enfin, vous êtes là ! Ç'a été long ! Entrez, entrez ! Icitte, vous allez être en sécurité.

La mi-quarantaine, Arthur était grand, mince, musclé et moustachu. Sa forte présence dégageait confiance et virilité. Chacun de ses gestes était saccadé, comme s'il était constamment retardé par la lenteur des autres, et de la vie en général.

Arthur était tout habillé : le casque de poil sur la tête, le manteau attaché, les shoe-claques dans les pieds. Il s'élança dans l'escalier extérieur, empoignant Louis au passage, qu'il mena vers la voiture pour aller chercher les bagages.

Jean pénétra dans la maison que lui avait déjà décrite sa mère et qu'il avait imaginée autrement, ornée de miroirs et de dorures, quelque chose comme un château. C'était grand, mais plus modeste, plus sombre et plus brun que doré. Il fut surpris par la chaleur qui l'enveloppa, et par sa tante Manon, qui agrippa brusquement son manteau. Elle portait des shorts de jeans délavés, une camisole Vuarnet aux couleurs fluo et ses cheveux blonds bouclés attachés sur le côté. Elle paraissait sortir tout droit d'un défilé de mode des années quatre-vingt et grommelait d'inaudibles mots depuis leur arrivée.

— Voir si ç'a du sens, rester dans une maison sans électricité en plein mois d'janvier. Fallait sortir de d'là !

Le hall d'entrée était accueillant et chaleureux, mais Marie hésitait à y pénétrer, observant la scène depuis les escaliers.

— Enweye, Marie, tu refroidis la maison, c'est pas gratis l'chauffage, lui lança Manon en la poussant d'une main vers son destin et en refermant la porte de l'autre.

C'est cet instant précis que choisit Irène pour faire son entrée spectaculaire, surgissant avec énergie du corridor les mains dans les airs, un chapelet de bois enroulé autour des doigts, riant aux éclats, soulagée.

— Mon Dieu que j'suis heureuse que vous soyez arrivés ! Mon Dieu que j'suis heureuse !

Ses yeux bleu marine brillaient de joie. Elle prit Jean dans ses bras et le serra contre sa poitrine de toutes ses forces. Il fut submergé par son parfum de musc, de sueur et d'œillets blancs, qu'il reconnut immédiatement. Elle portait sa traditionnelle jaquette blanche à fleurs mauves ainsi que son châle brun et orange autour des épaules. Ses cheveux blancs étaient ébouriffés et son sourire, quelque peu édenté, mais sa sincérité et sa générosité émanaient d'elle comme des rayons de soleil qui firent fondre les dernières craintes de sa fille.

— Marie, ma belle Marie, t'es chez toi ici, en sécurité. Rien pourra pus t'arriver.

Irène lui embrassa les joues, deux fois plutôt qu'une, en lui tenant la tête entre ses mains.

— Tu sortiras pas d'ici avant que l'yâble ait quitté la ville, parole d'Irène !

Puis, dans un excès d'enthousiasme, elle s'exclama :

— On va commander du St-Hubert BBQ ! Prenez tout c'que vous voulez, c'est ma tournée !

La nouvelle fut reçue par des cris de joie, mais déjà, elle était en mouvement. Elle saisit de sa main osseuse le bras de son petit-fils qu'elle guida vers le long corridor.

— Tu vas venir m'aider pour la commande, OK, Ti-Jean ?

Elle le gratifia de son plus beau clin d'œil puis l'observa de haut en bas, plus attentivement.

— Coudonc, t'as-tu encore grandi ? Va falloir que ça s'arrête à un moment donné, sinon tu vas passer ta vie à éviter les ventilateurs aux plafonds !

Elle lui faisait la même remarque chaque fois qu'elle le voyait.

— J'grandis pas si vite que ça. J'pense que c'est plutôt toi qui rapetisses.

Irène le fixa sérieusement.

— Napoléon t'aurait répondu : « Vous êtes long monsieur, alors que moi, je suis grand ! » répliqua-t-elle en faisant résonner son rire à la grandeur de la résidence.

— Mais va falloir ajouter un peu de chair à ce paquet d'os là, parce que t'es monté sur un frame de chat! poursuivit-elle avec son franc-parler habituel, tout en le poussant dans une petite pièce qui faisait office de boudoir.

C'était l'endroit où elle passait la quasi-totalité de ses journées. Son refuge, son espace. Elle y était entourée de ses livres, de son imposante encyclopédie *Larousse* qu'elle consultait régulièrement, des photos de ses trois enfants et de son unique petit-fils, Jean, tous figés dans une enfance éternelle, qui côtoyaient les portraits de Paul-Émile, son mari décédé. Ces visages emplissaient les murs de son univers d'une nostalgie assumée.

La télé diffusait RDI, le Réseau de l'information, qui couvrait jour et nuit les derniers développements de la crise du verglas. Y tournaient en boucle des images de poteaux électriques effondrés, de pylônes écroulés, de paysages saccagés, de monteurs de lignes d'Hydro-Québec dépassés par l'ampleur de la tâche et de visages de citoyens hébétés, foudroyés par le mauvais sort. Jean avait de la difficulté à accepter qu'il y ait un quelconque lien entre ces images et la réalité qui l'entourait. La nature accomplissait sa lente et méthodique œuvre de destruction, alors que les humains ne pouvaient qu'en constater les lourds dégâts. Le son émanait faiblement d'une paire d'écouteurs encore branchée à l'appareil.

Irène s'assit dans son confortable La-Z-Boy beige, puis demanda à Jean d'en faire autant. Il approcha une chaise et se mit à sa hauteur, face à elle. Elle souriait, heureuse d'avoir son Ti-Jean si près, à portée de bras.

Elle fouilla dans les poches latérales de son fauteuil et en retira de petites boîtes de plastique remplies de chocolats et de paparmannes.

— Sers-toi! Toutes ces émotions, ç'a dû t'ouvrir l'appétit.

Il pigea dans le trésor, davantage pour lui faire plaisir que par réelle envie, ce qui eut pour effet d'élargir son sourire et de la faire glousser de bonheur.

— Gêne-toi pas, y en a en masse. Pis si y en reste pus, y en a d'autres au dépanneur!

Jean prit un dernier chocolat, puis elle rangea ses «cochonneries», comme elle les appelait. Irène pointa ensuite quelque chose dans le coin de la pièce.

— Apporte-moi ma bourse, veux-tu, mon beau?

Elle fouilla dans son portefeuille puis lui tendit sa carte de crédit.

— J'aimerais ça que t'appelles au St-Hubert. Commande tout ce que le monde veut. Ça va être bon pis on aura pas de vaisselle à faire. Y faut fêter votre arrivée! J'étais assez inquiète, mon Ti-Jean… De vous savoir ici, avec moi, ça m'enlève un gros poids sur les épaules. J'pensais rien qu'à vous autres. Non, mais, c'est-tu assez effrayant ce qui arrive? J'sais pas ce qu'on a fait au bon Dieu pour qu'y se fâche comme ça… J'ai jamais vu une affaire de même. Des arbres qui tombent comme des châteaux de cartes pis l'électricité qui manque à la grandeur de la ville… C'est pas drôle, hein? Y ont même ouvert des centres pour recevoir les plus mal pris, ceux qui ont nulle part où aller. T'imagines, dormir avec des centaines de personnes dans des gymnases d'écoles : les odeurs, les bruits, les faces laittes que t'es obligé de regarder à longueur de journée !

Ils éclatèrent de rire. Un sentiment de bien-être et de confort envahit soudainement Jean, qui avait oublié à quel point il était bien avec sa grand-mère, qui, malgré ses quatre-vingt-deux ans, était dans une forme splendide.

— Au moins, vous aurez pas à endurer ça. Vous allez rester ici tant que vous voudrez, c'est pas la place qui manque.

Irène avait toujours été pour Jean synonyme de réjouissances, et même plongée dans un contexte de plus en plus dramatique, elle continuait d'aborder la vie comme une grande fête.

— J'suis content d'être ici. On a vraiment eu froid la nuit passée.

Elle lui donna une petite tape sur la cuisse.

— Pense pus à ça là, c'est fini.

Elle enfouit de nouveau sa main dans sa bourse puis la lui tendit, fermée, comme s'ils effectuaient une transaction illicite.

— Pis ça, c'est pour tes services. J'aime mieux te le donner à toi qu'à un serveur que j'connais pas. Tu t'achèteras des livres ou ce que tu veux avec.

Elle glissa un vingt dollars dans le creux de sa main.

— Merci !

*

Louis et Arthur déposèrent les dernières valises dans le hall et la porte d'entrée se referma dans un grand bruit sec. Ça y était : ils étaient vraiment arrivés. Pour y rester. Ils avaient semé le danger. Marie respirait mieux et l'accueil enthousiaste qu'elle avait reçu la convainquit qu'elle avait pris la bonne décision. Elle souriait, détendue, embrassant même son frère, pour la première fois depuis son adolescence. Tous faisaient des efforts et le miracle de la réconciliation semblait vouloir se produire.

— Tout va bien aller ! affirma Marie.

Puis elle s'élança à la recherche de Jean.

*

Des pas s'approchèrent bientôt du boudoir.

— Cache ça pis va passer la commande ! dit Irène à son petit-fils.

Elle lui décocha un autre clin d'œil, rusé celui-là, puis Jean sortit du repaire de sa grand-mère, leur petit secret au fond de sa poche.

Louis et Marie s'installèrent dans le salon où les attendaient deux matelas, alors qu'on assigna à Jean une minuscule chambre au bout du corridor, en face de celle d'Irène, collée à celle d'Arthur et Manon.

Normalement réservée à la filleule de Manon, qui l'avait décorée avec zèle et amour, cette chambre donnait l'impression d'être l'annexe d'une maison de poupée, avec ses murs roses, sa collection de Barbie et son couvre-lit de *La petite sirène*. Jean observa la pièce en souriant. Il défit son sac à dos, rangea ses vêtements dans une armoire, puis déposa ses livres et ses CD sur la table de chevet d'*Aladin*, accolée au minuscule lit.

Satisfaits de leur sort, les invités envisageaient avec confiance la suite des événements. Le pire était passé.

Puis la sonnette retentit : le souper était livré.

*

Attablés dans la cuisine, tous savouraient sans gêne leur repas. Marie resplendissait, émue d'avoir été si bien reçue.

— J'veux pas me plaindre dans les circonstances, mais un bon poulet BBQ, ça fait changement des sandwichs au beurre de pinotte !

Profites-en ! s'empressa d'ajouter Arthur en souriant à sa sœur, la bouche débordant de frites dorées.

— J'propose de faire un toast : À votre arrivée ! s'écria Manon en soulevant son petit contenant de sauce brune.

Tous répondirent en portant le toast le plus gras de l'histoire d'Outremont : « À notre arrivée ! »

Marie en rajouta :

— J'aimerais aussi porter un toast à Ti-Thur, à Manon et à môman ! Merci pour le bel accueil ! C'est réconfortant de pouvoir compter sur la solidarité de sa famille.

Ils entrechoquèrent de nouveau leurs petits contenants de plastique. Dans l'exaltation de la réunification, chacun y alla de sa raison : « À vous autres ! » « Aux invités ! » « Le verglas nous aura pas ! » « Tant que St-Hubert livrera, on crèvera pas ! »

Irène observait la scène en retrait, appuyée contre le comptoir, prête comme toujours à répondre à la moindre demande, à accourir au moindre signe, au moindre besoin, préférant souper en tête à tête avec sa télévision, une fois le repas collectif terminé, la table débarrassée, incapable de servir et de manger simultanément, comme tant d'autres femmes dévouées de sa génération.

Mais pour l'instant, elle savourait pleinement le moment, fière d'assister à une telle harmonie entre les membres d'une famille qui évitaient les rassemblements depuis longtemps.

Jean scrutait chaque recoin de la pièce. Cette maison le fascinait et l'effrayait en même temps : démodée, sombre, immense ; la mort semblait rôder dans chaque pièce de ce château triste.

Puis il tourna son attention vers Arthur, cet oncle drôle et énergique que rien ne semblait exciter davantage que de capter l'intérêt des autres, de raconter d'interminables histoires, qui se poursuivaient d'année en année. Marie, pour une raison que son fils ignorait, avait toujours évité son frère comme la peste.

Portant son habit bleu marine de gardien de sécurité, Arthur avait la tête plongée dans son assiette et dévorait son poulet quart cuisse à une vitesse de compétition. Dans une coordination parfaite, sa main droite portait des morceaux de viande à sa bouche, alors que sa main gauche y enfonçait de longues frites. Le pourcentage de rétention était approximatif, si bien que certains aliments mâchouillés pouvaient effectuer le trajet à plusieurs reprises avant d'être engloutis par le broyeur humain.

— Coudonc, Arthur, ça fait-tu deux semaines que t'as pas mangé ? lui demanda Jean.

Arthur prit une pause de gavage, avala péniblement ce qu'il avait en bouche, essuya minutieusement ses lèvres ainsi que sa mince moustache noire, puis se tourna vers son neveu.

— C'est parce que mon shift de nuitte commence dans une demi-heure, Johnny Boy! Y m'reste pus grand temps pour manger.

Son crâne chauve ruisselait de sueur au-dessus de sa coûronne de cheveux poivre et sel. Tous les muscles de son corps svelte et nerveux étaient tendus. Irène s'approcha de lui avec une boîte de carton rouge et jaune.

— Apporte ce qui reste, tu le mangeras là-bas.

Arthur émit un petit rire de rongeur, qui consistait en une courte et rapide succession d'inspirations et d'expirations, puis répondit à sa mère:

— Môman, froid ça sera pas aussi bon...

Il laissa de nouveau échapper son rire nerveux. Ses yeux de jais brillaient de fierté. Il se leva, ouvrit les bras comme s'il demandait l'attention d'une foule nombreuse, et prit la parole:

— S'il vous plaît, un instant, s'il vous plaît. Marie, Louis, Jean, j'veux juste vous souhaiter la bienvenue, vous dire que vous êtes icitte comme chez vous, et qu'on est heureux d'vous recevoir. On va faire le maximum pour que votre séjour soit le plus agréable possible.

Ils le remercièrent. Voyant les regards fixés sur lui, Arthur sentit le pressant besoin de poursuivre sur sa lancée.

— Va falloir que j'y aille, dit-il en se levant. J'm'en vas surveiller un bureau d'poste au centre-ville. J'devrais r'venir vers 6 h, pour m'doucher pis m'changer. Comme y va être pas mal tôt, j'pense pas croiser personne. Après, j'vas r'partir pour m'rendre dans un quartier vraiment pas safe, dans l'Nord, où y ont besoin des top gardiens pour surveiller des entrepôts. J'devrais être de retour demain, vers l'heure du souper. On se r'verra à c'moment-là! Bonne soirée!

Irène le regardait, impressionnée.

— J'sais pas comment tu fais pour travailler vingt-quatre heures sans dormir…

Fier comme un paon, Arthur flattait son immense lampe de poche qui pendait le long de sa cuisse.

— Le devoir, c'est l'devoir.

Il quitta la cuisine dans un silence respectueux.

Puis Manon fit cette proposition:

— Ça vous tenterait-tu de jouer une p'tite partie d'cartes?

Tous acceptèrent l'invitation et jouèrent avec enthousiasme au huit et à la dame de pique, en buvant du Pepsi et du Canada Dry. Seule Manon pigea dans la caisse de Wildcat.

*

En se couchant, Louis et Marie apprécièrent pleinement le confort de leur lit, qu'auraient certainement envié les occupants des sept cent mille foyers qui, dans tout le sud-ouest du Québec, étaient plongés dans une angoisse frigorifiée. Ils étaient épuisés, mais s'estimaient chanceux. Marie fixait l'obscurité, tendue malgré elle : ce séjour ne pourrait pas qu'être un long fleuve tranquille. Il y aurait très probablement des secousses et des remous. Il fallait prendre des forces. Dormir.

Jean, emmitouflé dans ses draps rose et turquoise, eut aussi une pensée pour les sinistrés. Il espéra de tout cœur que la troisième tempête de pluie verglaçante, qui devait s'abattre sur la région cette nuit, dévierait de sa trajectoire et se perdrait dans l'océan. Qu'elle y déverserait ses tonnes de glace, afin que la situation revienne à la normale le plus rapidement possible.

À demi éveillé, Jean remarqua qu'une rangée de poupées policières veillait sur lui. Il s'assoupit en souriant.

JOUR 2
8 janvier 1998

— Câlisse de tabarnak de crisse de trou d'cul à marde! Saint-ciboire de sacrament d'ostie de saint-câlisse…

BANG! BANG! BANG! BANG! BANG! BANG!

Jean sursauta, encore ensommeillé, mais les nerfs à vif, le cœur battant à tout rompre. Des poings s'acharnaient contre sa porte de chambre.

— Quessé ça? se demanda-t-il.

Un enragé parcourait le corridor en hurlant:

— Y comprend vraiment rien, c't'ostie d'tabarnak de bouché-là! Ostie d'sacrament de câlisse que j'vas y montrer c'est qui qui mène icitte! Tabarnak de câlisse de ciboire que j't'écœuré…

En quelques secondes, Jean avait été expulsé des brumes réconfortantes du sommeil. Ses muscles étaient tendus à l'extrême. Il chercha un objet pour se protéger et cogner au besoin. Il saisit une lampe du *Roi lion* et la débrancha. Le fou furieux approchait.

— Viarge d'ostie d'sacrament de tabarnak que ça s'passera pas d'même! Y sait câlissement pas à qui y a à faire, tabarnak d'innocent de sans-dessein d'imbécile qui pense qu'y va m'faire la loi à matin…

31

Le forcené était revenu à la hauteur de sa porte quand Irène entrouvrit la sienne et osa un pas dans le corridor.

— Mais pour l'amour du bon Dieu, qu'est-ce qui se passe Ti-Thur pour que tu t'énerves de même ?

C'était son oncle ! Jean regarda l'heure : 6 h 55. Manon sortit à son tour de sa chambre, s'attendant au pire.

— Chus tellement écœuré de m'faire niaiser, poursuivit Arthur. Ça fait une heure qu'ça dure pis j'ai mon ostie d'truck, plein l'cul de c't'ostie-là ! Chus à ça, à ça d'péter ma coche !

— Pour le pétage de coche, j'pense que tu peux le conjuguer au passé. Pis de qui tu parles, au juste, Ti-Thur ? Qui t'a niaisé ?

Louis et Marie, inquiets, les avaient rejoints.

— C'est la glace, les chars ostie, y a rien qui marche tabarnak, ça fait une heure que j'avance pis que je r'cule, viarge, pis j'reste pogné là comme un cave à m'faire niaiser par un crisse de bazou à marde qui spinne dans l'beurre comme un innocent… Ostie que j'vas aller y dire ma façon d'penser au crosseur qui m'a vendu c'te citron-là, j'aimerais pas ça être dans ses shorts, oh que non ! Tabarnak que toute est croche dans c't'ostie d'pays-là !

BANG ! BANG ! BANG ! La porte de Jean encaissa de nouveaux coups de poing.

— Hein ? s'exclama Irène. Tout ce tapage-là parce que t'es pas capable de sortir ton char du garage ?

— J'ai mon ostie d'voyage! laissa échapper Manon.

Arthur, submergé par la rage, en rajouta :

— Vous comprenez rien, crisse? Chus en r'tard pis y a rien qui avance à cause de c'te marde de pluie qui arrête pas d'tomber du ciel… Les gars ont besoin d'moé… Chus en r'tard pis l'quartier où j'm'en vas est pas safe, y a des radios pis de l'électronique qui sont stockées là-bas, ça serait ben l'boutte qu'les gangs de rue vident toute ça pendant qu'chus icitte à bûcher sur un char qui veut pas avancer… Y comptent su'moé… Chus l'top pour surveiller les entrepôts!

Irène haussa le ton :

— Ti-Thur, calme-toi pour l'amour! La ville est fermée! Y a personne qui pense à voler! Viens avec moi dans la cuisine. Tu vas respirer, pis tout va s'arranger. Enweye, amène-toi!

Louis posa une main sur l'épaule de son beau-frère, pendant que Marie restait en retrait.

— On va aller t'aider dehors, avec l'auto, Arthur. À trois, on va la sortir de là, c'est certain.

Alors qu'ils se dirigeaient vers la cuisine, Jean ouvrit sa porte avec précaution : la voie était libre. Il suivit la procession pour ne rien manquer de l'action.

Manon servit un verre d'eau à son mari pendant qu'Irène tentait de le calmer. En voyant Jean arriver, elle lui fit un clin d'œil, lui signifiant que tout était sous contrôle. Arthur fixait la table devant lui et tremblait de tous ses membres. Son manteau de gardien de sécurité était complètement détrempé et une légère vapeur s'échappait de son collet. Il faisait presque pitié.

Louis et Marie ressurgirent, habillés et prêts à lui donner un coup de main. Arthur se leva immédiatement et, sans ajouter un mot, se dirigea vers la sortie. Louis et Marie le suivirent. Une fois la porte d'entrée bien fermée, Irène éclata de rire.

— Ah! les hommes, toujours en train de s'énerver pour rien…

Elle était la seule à trouver ça drôle. Jean n'avait jamais eu aussi peur de sa vie.

La maison était redevenue calme. Chacun vaquait à ses occupations. Seul Louis était sorti, malgré la pluie, chercher des journaux.

Marie vint trouver son fils dans sa chambre. La porte était entrouverte : il lisait. Il sentit sa mère légèrement secouée. Ses traits étaient tirés et ses gestes, nerveux.

— Viens, j'vais te préparer un bon déjeuner, lui proposa-t-elle.

La table en coin de la cuisine était l'endroit de réunion par excellence de la maison. Une banquette beige rembourrée dessinait un L, à la jonction des deux murs, alors que, en face, cinq chaises formaient un demi-cercle. Ainsi, de n'importe quel angle, les gens pouvaient s'épier.

Une petite radio posée sur un coin du comptoir était allumée en permanence. Manon, qui arborait une camisole zébrée rose et noir et des shorts Adidas un peu trop courts, avait syntonisé CKAC 730 AM, et imposait sa cacophonique et agressive couverture des événements aux autres membres de la maisonnée. Quelques nouvelles d'importance étaient entrecoupées d'orgies de commentaires et de tribunes téléphoniques qui créaient une telle confusion dans la tête de l'auditeur qu'il lui devenait très difficile de différencier la rumeur de l'opinion, la déduction du fait vérifié. Le tout étourdissait plus qu'il n'informait. Du bruit.

Marie était aux fourneaux et retournait des crêpes avec application, comme si c'était n'importe quel dimanche matin de l'année. Ses cheveux d'ébène tombaient sur ses épaules, alors que son court toupet mettait en évidence son visage rond et souriant, ses grands yeux d'encre et son petit nez retroussé. Jean ne lui ressemblait pas du tout : un front large et intelligent, recouvert par de longs cheveux brun foncé rejetés sur le côté, une taille mince et élancée et des yeux verts, brillants et alertes.

Jean s'installa au bout de la banquette. Marie sentit sa présence et s'adressa à lui, sans se retourner :

— Ça va être prêt dans deux minutes, mon grand.

Irène offrait du café instantané à qui voulait se réveiller à coups de gorgées trop sucrées. Espiègle, elle pinça la joue de son petit-fils en lui tendant un verre de jus d'orange.

— Tiens, bois ça mon Ti-Jean, ça va bien commencer ta journée ! Pis oublie ce qui est arrivé à matin. À l'heure qu'y est, Ti-Thur doit être en train de raconter une de ses histoires niaiseuses à ses collègues de travail… Y se rappelle pus de rien. Y a toujours été comme ça. Un grand enfant.

Il lui sourit et but une gorgée.

— J'vais me retirer dans ma suite pour écouter les nouvelles. Si y se passe quelque chose, j'vous tiendrai au courant.

Elle emporta son déjeuner dans son royaume privé.

— Maman ?

— Oui ?

— Pourquoi Arthur a pété les plombs juste à côté de nos chambres ?

— Bonne question. C'est pas la première fois qu'y fait ça, mais je pensais qu'y avait perdu l'habitude.

Manon, dérangée par la conversation, monta le son de sa radio. Marie s'approcha de la table, servit ses merveilleuses crêpes, puis s'assit à côté de son fils. Elle le regarda droit dans les yeux et lui parla avec douceur.

— Arthur a toujours eu un problème de contrôle. Quand ça va pas comme y veut, la pression augmente et augmente, jusqu'à l'explosion. Y avait qu'à venir nous demander de l'aider et on l'aurait sorti de là en un rien de temps. Mais y voulait pas nous déranger… Ses intentions étaient pas mauvaises.

— J'comprends tout ça, mais ce que j'comprends moins, c'est pourquoi y tenait absolument à se défouler DANS la maison alors qu'y aurait pu hurler dehors autant qu'y voulait sans déranger personne.

Marie fixa son fils avec tendresse.

— Tu sais, Jean, on vit une situation exceptionnelle. Aux nouvelles, y disaient que c'est une catastrophe naturelle sans précédent. Tout le monde est stressé pis y a des gens qui gèrent ça mieux que d'autres. Quand y va revenir, j'vais y parler à Ti-Thur, OK ?

Elle lui saisit la main en souriant. Du bruit parvenait de l'entrée. Marie alla voir : Louis rentrait de son expédition. Il fit un détour par le boudoir où sa belle-mère le reçut par un hurlement de mort :

— Ahhhhhh ! Maudite face laitte, sors d'ici immédiatement, pis va faire tes niaiseries ailleurs !

Louis pénétra dans la cuisine, une pile de journaux sous le bras, un masque de gardien de but bleu, blanc, rouge plaqué sur le visage. Ce fut au tour de Manon de sursauter.

— Maudit épais, c'est pas drôle ! vociféra-t-elle, avant de fuir vers sa chambre en tenant sa radio contre son oreille.

— Tu t'es pas promené dans le quartier avec ça sur la tête ? lui demanda Marie.

— Tu voulais que j'sorte protégé pis c'est tout ce que j'ai trouvé dans le garage.

Ce masque, qu'avait utilisé Arthur au début des années soixante-dix, alors qu'il « avait failli jouer professionnel », comme il aimait à le répéter, était une réplique exacte de celui de son héros : Ken Dryden. Il donnait une allure de tueur à Louis, qui du haut de ses six pieds devenait soudainement intimidant.

Il le retira et le tendit à son fils.

— De toute façon, y a pas un chat dehors. Les trottoirs et les petites rues sont encore encombrés par des branches. Ça tombe de partout. C'est super dangereux.

J'ai même reçu un gros glaçon sur la tête, mais heureusement, j'avais un casque.

Il les regardait à tour de rôle de ses yeux bleu pâle, rieurs, avec son assurance et son élégance de charmeur.

— L'important, c'est que j'ai trouvé un dépanneur qui avait tous les journaux. Le jackpot! Le commis était heureux de voir arriver quelqu'un, j'étais son premier client d'la journée. Y s'ennuyait.

Louis travaillait pour Pfizer-Léman, l'une des plus importantes compagnies pharmaceutiques du monde. Il y avait été engagé comme simple livreur une quinzaine d'années plus tôt, et avait gravi les échelons un à un, à force de zèle et d'heures supplémentaires, pour atteindre, il y a cinq ans, à trente-huit ans, le convoité poste de chef des représentants. Depuis, il voyageait régulièrement, faisait le tour des colloques et des congrès, constamment à la recherche de nouveaux débouchés pour son armée de vendeurs qui l'appréciaient pour son efficacité, mais aussi pour ses célèbres fêtes de fin d'année, où il récompensait les plus méritants à coups de téléviseurs ou de voyages dans le Sud.

Louis n'aurait pas dû être ici, dans l'enfer blanc de Montréal, chez sa belle-famille. Le mauvais sort l'y avait jeté. Il aurait dû être à Las Vegas, où avait lieu le rassemblement annuel de l'industrie. Mais son avion avait été cloué au sol l'avant-veille. Il ne pouvait plus qu'imaginer le faste et les débordements des célébrations qu'il manquait, misérable oublié. Cette pensée l'obsédait et rendait sa présence parmi sa belle-famille particulièrement pénible.

Marie, de son côté, ne manquait rien de particulier. Sa vie était devenue une longue route lisse et droite. Il lui fallait à tout prix éviter les surprises. Elle ne travaillait plus depuis de nombreuses années et tentait de s'occuper au mieux de ses capacités de sa maison et de son fils chéri, qu'elle suivait dans toutes ses avancées. Elle visait avant tout la stabilité.

Louis étala le journal sur la table et commença à l'éplucher.

Jean décida de profiter du calme apparent qui régnait dans la maison pour aller se laver pour la première fois en trois jours. Il se leva, mais son père l'arrêta :

— Si jamais ton oncle fait encore des siennes, j'vais remettre mon masque pis lui faire peur.

— Tu feras ça. S'il se sauve pas, au moins y va geler.

— Le méchant est sorti, ça devrait mieux aller à partir de maintenant.

Jean acquiesça puis se dirigea vers la salle de bain.

Revigoré par sa douche, Jean eut envie d'explorer la demeure. Chaque pièce regorgeait d'objets kitsch des années soixante, de pièces d'artisanat à la valeur artistique discutable et de photos de jours meilleurs, qui suintaient la pesante nostalgie du temps où les enfants n'étaient pas encore adolescents, où tous les membres de la famille étaient vivants, avant que la tragédie ne s'abatte à répétition comme une nuée de corbeaux et ne voile à jamais leur bonheur.

Tout paraissait immuable, éternel. Les meubles, les cadres, jusqu'aux photos, tout était figé dans le passé. La maison était énorme et sombre, la dimension de ses pièces, imposante, et les plafonds, particulièrement élevés. Il y régnait une impression d'espace et de confort qui se mélangeait à une autre, contradictoire, d'étouffement et de lourdeur, attribuable au mauvais agencement des objets. Toutes ces choses étaient les vestiges de leur ancienne vie dans La Petite-Patrie, que la famille avait quittée pendant l'été de l'amour et de l'Expo, en 1967, pour atterrir ici, en pleine bourgeoisie. Deux mondes semblaient être entrés en collision. Ce changement de quartier et de classe sociale avait scindé, plus que tout autre événement, la famille en deux clans. D'un côté, Paul-Émile et Arthur, son fils aîné alors âgé de quatorze ans, étaient restés fidèles à leurs origines ouvrières; de l'autre, Irène, son fils François, âgé de douze ans, et Marie, d'à peine sept, s'adaptèrent parfaitement à leur nouvel environnement. Ils en appréciaient les subtilités et voulurent plus que tout s'y intégrer.

La vie de chacun aurait été très différente si Paul-Émile avait fait son coup d'argent dans l'immobilier quelques années plus tôt, ou plus tard. Le destin trancha.

Mais plus que la décoration, c'était la situation familiale qui était anormale dans cette maison: Arthur vivait chez sa mère depuis des années – depuis qu'il avait mis fin à sa vie de musicien. Manon était venue le rejoindre peu de temps après. Ils y habitaient comme des locataires, mais sans loyer à payer.

Cet amalgame de gens, de styles et d'époques embrumait l'esprit du lieu.

Jean commença sa tournée par la chambre de son oncle et de sa tante où du papier peint couvrait l'entièreté du mur derrière le lit. Il représentait un paysage montagneux générique, avec ses sommets de neige éternelle et ses forêts de conifères. Sur le mur d'en face trônait une affiche d'un des défunts groupes de musique d'Arthur et Manon: Intercom, qui avait sévi au début des années quatre-vingt. Cinq hommes et Manon avaient été immortalisés dans une pose curieuse où ils riaient, debout, à s'en fendre les joues, s'appuyant les uns sur les autres, fixant quelque chose au loin, vêtus de one-pieces blancs trop serrés, les cheveux longs crêpés placés comme c'était alors la mode dans les groupes de musique pop-rock, où les hommes portaient perruques et rouge à lèvres affirmés. L'espace central et privilégié où avait été placé ce cliché donnait à penser qu'il représentait pour eux le sommet de leur vie. Le zénith enfin atteint. C'était l'image qui les accompagnait chaque nuit au pays de Morphée, où ils jouaient depuis des années à guichets fermés, dans des stades débordant de fans déchaînés.

Jean se dirigea ensuite vers la chambre de sa grand-mère, qui comptait deux lits simples : le sien, dans lequel elle avait toujours dormi, et celui de son défunt mari, qu'elle avait conservé après sa mort, vingt ans plus tôt. Sur sa commode en bois usé se côtoyaient des statuettes en porcelaine de la Vierge Marie, quelques médaillons du frère André, un grand portrait en noir et blanc où elle souriait, épanouie, au bras du futur père de ses enfants, le jour de leur mariage, ainsi qu'une photo datant des années soixante-dix, où son fils aîné posait fièrement avec sa moustache et son habit argenté de musicien disco. Un souvenir du temps glorieux où il jouait du clavier dans un orchestre de *covers*, et où les « meilleurs clubs du Québec se battaient pour nous booker », comme il s'en vantait. D'abondantes images de Jésus et d'anges androgynes illuminés, jouant innocemment de la harpe ou se cassant le cou pour regarder tout en haut quelque apparition mystérieuse au paradis, achevaient de répandre dans la pièce une aura de piété. Les lourds rideaux noirs aux taches orangées, partiellement fermés, plongeaient la chambre dans une demi-obscurité mystique.

La pièce débouchait sur un long corridor que Jean entreprit de traverser. Il s'arrêta devant le boudoir, où dormait paisiblement Irène. Face à elle, la télévision diffusait des images de centres d'accueil surpeuplés et de monteurs de lignes découragés. Ses écouteurs étaient fixés sur sa tête pour que le son élevé ne dérange pas Manon, qui s'en plaignait sans cesse. Cette dernière fumait justement dans la cuisine, sous la hotte, la radio à quelques centimètres de son oreille. Les traits de son visage étaient durs, secs et tendus, comme tous les membres maigres et raides de son corps. Aucune rondeur, aucune douceur chez cette femme que tout semblait exaspérer.

Jean accéléra le pas et aboutit à l'autre extrémité de la maison, dans le spacieux et lumineux salon. De grandes fenêtres donnaient sur le chemin de la Côte-Sainte-Catherine où la circulation, en temps normal, était dense et régulière, mais où ne s'accumulait plus que le verglas qui tombait depuis des heures du ciel gris et vicieux. C'est dans cette pièce qu'étaient installés Louis et Marie. Ils y retrouvaient l'équivalent d'un confort de camping, sans le minimum d'intimité que procure une tente. Marie rangeait ses vêtements.

— Ah, Jean ! T'as besoin de quelque chose ?

— Non, non, j'venais juste voir votre installation.

— Nos lits sont confortables. J'ai très bien dormi.

— Le réveille-matin est même inclus dans le deal, ironisa Louis, qui, assis sur une chaise dans le coin de la pièce, observait, pensif, l'état des routes par la fenêtre.

— Faudrait pas oublier de le régler à Radio classique pour demain matin, ajouta Jean.

Louis laissa échapper un rire sonore, alors que Marie tenta d'étouffer le sien. Puis Louis expliqua qu'il avait téléphoné à plusieurs reprises à leur maison, sans que le répondeur ne s'enclenche, ce qui signifiait que l'électricité n'y était toujours pas revenue.

— J'vais appeler régulièrement, mais comme les chances qu'on reste ici au moins une autre journée sont élevées, j'vais aller faire le plein de provisions à l'épicerie. En empruntant les rues principales, ça devrait bien aller.

Marie plissa le front, inquiète.

— On va quand même pas leur demander de nous nourrir en plus de nous héberger, ajouta-t-il.

Elle resta muette.

— J'vais acheter de l'eau, des piles pis des chandelles, juste au cas.

— Veux-tu que j'vienne avec toi ? lui proposa Jean.

— Non, ça va être OK. Si tu veux aller te reposer, c'est le bon moment. Les dernières nuits ont été mouvementées et la maison est calme, c'est le temps d'en profiter.

Louis s'habilla et quitta la maison en vitesse.

Jean resta près de sa mère, dans un silence doux et réconfortant.

— Ça va maman ?

Jean était toujours préoccupé par l'état de sa mère et ses fréquents tremblements de terre. Ayant grandi dans la crainte du «Big One», du désastre qui détruirait jusqu'aux fondations, la transformerait en un immense champ de ruines, il demeurait sensible au moindre signe annonciateur.

Marie lui sourit aimablement pour toute réponse. Cette femme était fragile comme le crépuscule, tiraillée entre le jour et la nuit, repoussant sans répit la noirceur qui parvenait parfois à abattre ses remparts et à l'engloutir complètement.

— Tu te sens bien ?

Les pilules aidaient Marie à endormir ses angoisses et à combattre ses insomnies, mais elles n'étaient pas sans conséquence. Marie n'était plus qu'une pâle copie de la femme enjouée et dynamique qui avait étourdi Louis lors de leur première rencontre, alors qu'elle était technicienne de laboratoire. Son sourire ensoleillé et sa beauté éclatante l'avaient achevé. Le coup de foudre. Louis, avec ses airs scandinaves, son sourire ravageur, ses cheveux châtains toujours bien placés et son regard azur, avait aussi plu immédiatement à Marie. Une belle pièce d'homme, qui n'avait pas froid aux yeux. Le soir même, après un souper bien arrosé, ils avaient passionnément fait l'amour sur le tapis du salon de Louis. Ils ne s'étaient plus quittés depuis.

— Maman?

Marie était perdue dans ses pensées. Jean haussa la voix:

— Allô? Maman, t'es là?

Elle émergea.

— Y était beau, hein?

Elle fixait des photos au mur.

— C'est qui?

— François, mon frère. Tu te rappelles, je t'en ai déjà parlé.

Ça lui revenait, par bribes: le fils prodige fauché en pleine jeunesse, alors qu'il étudiait en architecture.

— C'était peu avant sa mort?

— Quelques mois…

C'était frappant: Marie et François se ressemblaient comme deux gouttes d'eau. Seuls ses larges favoris les différenciaient.

— Y avait l'air cool.

— Il l'était.

François souriait. Ses traits étaient avenants et doux. Résignés. Il savait qu'il avait perdu la guerre et que le cancer le grugerait jusqu'à la mort.

— Vous étiez proches?

— Très. C'était le deuxième enfant de la famille, pis moi, j'étais la p'tite dernière. Y m'avait pris sous son aile et me protégeait.

— De qui?

— D'Arthur… Y a pas toujours été très gentil avec moi…

Des images du passé défilèrent dans la tête de Marie et sa gorge se noua. Elle laissa passer l'émotion puis poursuivit :

— C'est pas naturel de mourir aussi jeune. Ç'a été très difficile à accepter. J'avais quinze ans quand c'est arrivé.

— Et lui ?

— Vingt.

Elle sombra dans de profondes réflexions. La douleur de l'absence, vingt-trois ans après son décès, était toujours aussi vive.

— Notre famille s'en est jamais vraiment remise.

Elle quitta la pièce, submergée par une lourde tristesse. Le silence semblait avoir tout avalé dans la maison.

*

Jean sortit du salon, traversa le hall d'entrée puis la salle à manger, que surplombait une horloge à coucou en contreplaqué, et atterrit dans la cuisine, vidée de la présence enfumée de Manon. Il ouvrit une porte anonyme qui donnait sur un étroit escalier en colimaçon menant au sous-sol. Cet étage, aussi grand que le premier, était divisé en deux. Au fond se trouvaient la salle de lavage, la fournaise et un garage double qui débouchait sur une ruelle. Puis, lui faisant face : trois portes fermées que Jean entreprit d'ouvrir. La première donnait sur une garde-robe de cèdre où étaient entreposés les manteaux de fourrure d'Irène. La seconde s'ouvrait sur une armoire où s'entassaient divers produits nettoyants. La troisième porte menait à une plus grande pièce. Il tourna la poignée, mais elle refusa d'obtempérer : elle était fermée à clé.

— Quessé qu'tu fais là, malpoli ?

Jean sursauta, surpris par l'irruption agressive de sa tante.

— Tu fouilles dans les affaires de ton oncle ?

— Non, non, j'fais juste visiter la maison.

— Ben va visiter ta chambre à'place ! Maudit fouineux ! R'viens pus jamais icitte ! cria-t-elle à Jean en le fixant avec haine.

— OK, on se calme ! lui lança-t-il, dépassé par sa réaction.

— Enweye, déguédine !

Manon le poussa vers l'escalier, qu'il gravit précipitamment.

Il alla s'enfermer dans sa chambre, sonné. Qu'est-ce qui venait de se produire ? Pourquoi avait-elle réagi si fortement ? Il avait le sentiment d'avoir franchi une frontière invisible. Il se sentait coupable, honteux, mais ne savait pas de quoi exactement. Il était confus.

La fatigue l'envahit d'un coup. Il s'étendit sur son lit trop court puis fixa la porte qui délimitait son territoire. Il retrouva peu à peu un sentiment de sécurité, protégé qu'il était par des dizaines de princesses, de

Calinours et par la collection complète des figurines de *Ma petite pouliche*. Sa présence dans cet univers de petite fille était d'une incongruité comique. Amusé, il ferma les yeux et s'évada dans des rêves de prairies et de licornes ailées.

Trois heures plus tard, Louis revint de son périple, portant à bout de bras des sacs débordant de provisions qu'il déposa sur le comptoir de la cuisine.

— Ç'a été long! lui reprocha presque Marie.

— C'était pas évident. Mais l'important, c'est ce que j'ai rapporté : des batteries, des chandelles, de l'eau pis de quoi manger pour quelques jours. Y avait pus de lampes de poche par exemple. J'ai jamais vu des étagères vides de même… Mais avec ça, on est corrects pour un bon bout de temps.

Manon, Marie et Jean dînaient en écoutant attentivement la radio qui déversait en série les mauvaises nouvelles : il était tombé pendant la nuit une trentaine de millimètres de pluie verglaçante, ce qui avait sérieusement aggravé la situation, déjà critique. Les médias avançaient désormais qu'un million d'abonnés étaient privés d'électricité, ce qui signifiait, dans les faits, que de deux à trois millions de Québécois se trouvaient dans un état de grande vulnérabilité, sans chaleur ni lumière, en plein hiver. De nombreux pylônes s'étaient écroulés comme des dominos sous le poids écrasant du verglas. Des trois lignes qui transportaient l'électricité de la Côte-Nord à la métropole, une seule avait été épargnée. La situation empirait de minute en minute. Les journalistes n'arrivaient plus à faire le compte des régions qui étaient plongées les unes après les autres dans la noirceur. Et cette damnée pluie qui perdurait…

La Rive-Sud et la Montérégie avaient été déclarées zones sinistrées. Les centres d'accueil s'étaient multipliés dans les dernières heures et peinaient à répondre à la demande, qui prenait des proportions historiques. Les informations étaient contradictoires et les rumeurs fusaient de toutes parts, mais la catastrophe était jugée suffisamment grave pour que le gouvernement fédéral déploie plus de trois mille soldats dans la grande région de Montréal, où ils prêteraient main-forte aux employés d'Hydro-Québec, épuisés et débordés, visiblement trop peu nombreux pour s'acquitter de la tâche. L'armée devait en priorité ramasser les branches et les débris qui s'accumulaient et qui rendaient la circulation pénible et dangereuse dans les rues de la métropole. Une brigade entière se préparait à quitter Valcartier, et son arrivée à Montréal était grandement attendue.

Le petit auditoire était sous le choc. Qu'est-ce que l'avenir leur réservait? Plus rien ne paraissait impossible. Et si l'électricité venait à manquer ici aussi, où iraient-ils? Dans un centre d'hébergement avec ces milliers de sinistrés aux nerfs éprouvés, qui peinaient à dormir, couchés sur des matelas de fortune, entourés de bruits et d'odeurs, endurant les cris des enfants et les conflits qui se multipliaient pour tout et pour rien ?

Louis sentit qu'il devait insuffler une dose d'espoir à ce début de cauchemar.

— L'important à retenir, c'est que, selon les météorologues, le gros des précipitations sera tombé dans les prochaines heures. Dès que la glace va arrêter de s'accumuler sur les arbres, les pylônes pis les fils électriques, les choses vont s'améliorer. On peut seulement attendre que le pire passe. D'ici une journée ou deux, on devrait savoir à quoi s'en tenir.

Son ton était rassurant et ses arguments, valables et rationnels. Ils étaient en sécurité, ne manqueraient de rien. Mais d'invisibles nuages noirs s'amoncelaient au-dessus de leurs têtes et les empêchaient de se détendre. La partie était loin d'être gagnée : ils devaient encore survivre à ce rassemblement forcé.

— Qui vient m'aider à faire la vaisselle ? tenta Marie pour faire diversion.

Louis se porta volontaire, tandis que Jean en profita pour filer en douce vers le boudoir, où sa grand-mère finissait de manger une soupe Lipton, en ne quittant pas des yeux son jeu-questionnaire préféré : *Des chiffres et des lettres*. Elle griffonnait des calculs sur un calepin, tentant de battre de vitesse le concurrent à lunettes. En apercevant son petit-fils, elle retira ses écouteurs et l'invita à s'asseoir près d'elle.

— Attends un peu, Ti-Jean, j'veux juste finir le problème pis on va jaser.

Elle cherchait et calculait, mais fut finalement vaincue par le Français qui déclama avec fierté, le torse bombé, la formule mathématique qui lui permit de gagner la partie.

— Eh crime, j'étais pas loin… Maudits Français, sont-tu fendants rien qu'un peu?

— Mets-en!

Ils éclatèrent de rire. Leur complicité ne datait pas d'hier.

— Ferme la porte, on va être plus tranquilles.

Il obéit. Aussitôt, les sons de la radio et des allées et venues continuelles des réfugiés s'éteignirent.

— Comment ça va à l'école?

— Ça va. Mes notes sont bonnes.

— T'es chanceux! Qu'est-ce que j'donnerais pour retourner étudier… Si j'avais pu, j'aurais passé ma vie plongée dans les livres, à apprendre et à me remplir de savoir: quel bonheur! L'école, c'est ce qu'y a de plus important dans la vie, tu sais ça, hein?

— Ben oui, grand-maman, tu me l'as dit au moins un million de fois.

Elle lui donna une tape sur la main, qu'il n'eut pas le temps de soustraire à sa petite réprimande.

Irène avait été maîtresse d'école une grande partie de sa vie et avait suivi le cheminement scolaire de Jean depuis ses débuts. Passionnée de la langue française, elle récitait de longs passages des monologues de Sol et connaissait les *Fables* de La Fontaine par cœur. Les premières histoires qu'elle avait racontées à son unique petit-fils avaient été *Le corbeau et le renard*, *Le rat de ville et le rat des champs* ainsi que *La cigale et la fourmi*. Jean se souvenait de son éclat de rire qui suivait immanquablement les derniers vers de cette fable : « Vous chantiez ? J'en suis fort aise : Eh bien ! dansez maintenant. » Chaque fois, elle étirait son rire pendant de longues secondes, sans qu'il en comprenne la raison exacte. Il y avait peut-être là quelque chose de profond, une fierté d'avoir travaillé aussi intensément toutes ces années, d'avoir suffisamment amassé, comme la fourmi, pour pouvoir se bercer en toute tranquillité au soir de sa vie.

Enfant, Jean était fasciné par ces animaux qui parlaient si bien, alors que l'important pour Irène résidait dans la leçon de vie, la morale qu'elle tentait patiemment de lui expliquer.

Irène regardait Jean en souriant, affectueusement ; elle le connaissait comme si elle l'avait tricoté. Elle l'avait beaucoup gardé lorsqu'il était petit, alors que sa mère traversait des moments difficiles. Elle avait pris sa retraite à soixante-cinq ans, quelques années avant la naissance de Jean. Louis ou Marie n'avaient qu'à lui téléphoner, été comme hiver, pour qu'elle saute dans un autobus – le 51, qui passait devant chez elle et la déposait, trente minutes plus tard, au coin de leur rue. « Mon taxi 51 », comme elle le surnommait. Car Irène n'avait jamais appris à conduire. Elle avait bien suivi des cours, mais elle représentait un tel danger public que personne n'avait été assez irresponsable pour lui délivrer un permis.

Ainsi, elle passa une bonne partie de sa vie dans les autobus de la ville. C'est à bord de ceux-ci, également, qu'elle l'avait amené dans ses endroits fétiches, lorsque c'était jour de fête ou qu'elle avait envie de sortir, de lui changer les idées, de le gâter ou d'aller au restaurant. Car pour Jean, sa grand-mère, c'était avant tout la plus grande grand-maman gâteau du monde. Celle par qui arrivaient les sacs de chips, les petits gâteaux Vachon et les paparmanes par sacs complets. Le bonheur, car rien de tout cela ne traversait habituellement le seuil de leur maison. Marie exécrait particulièrement les aliments qui contenaient du sucre, du colorant ou des produits chimiques. Elle en faisait une véritable obsession et semblait vouloir bannir tout ce qui possédait le moindre goût. Elle désirait que son fils demeure pur et libre, alors qu'elle dépendait de tant de choses.

Alors quand Irène proposait à son petit-fils de se rendre au dépanneur et d'acheter tout ce qu'il voulait, c'était la fête. Partout où ils allaient, d'ailleurs, c'était la fête. Une fête perpétuelle. Il n'était jamais question de rations, d'économies ou de restrictions. Les journées se terminaient souvent au St-Hubert BBQ où Jean se gavait de boisson gazeuse à volonté, de salade de chou, de frites et de gargantuesques desserts. Il en ressortait heureux et terriblement excité, peu habitué qu'il était à ingurgiter une telle quantité de sucre.

À son anniversaire, Irène venait le chercher et ils se rendaient en autobus et en métro au magasin Eaton; ils montaient à l'étage des jouets et Jean choisissait ce qu'il désirait. Une fois leurs achats terminés, juste avant de repartir, ils s'arrêtaient au comptoir du Laura Secord, où Jean s'emplissait les poches de barres de chocolat qui goûtaient l'ancien temps.

Jean se souvenait aussi de nombreuses visites sur la Plaza Saint-Hubert, de dizaines de sandwichs mangés au Roi du Smoked Meat, d'après-midi complets passés affalé devant la télé, à manger des sucreries qu'elle avait apportées en grande quantité, à boire du Canada Dry dans un long verre, dans lequel elle ajoutait une boule de crème glacée à la vanille qui produisait une mousse blanchâtre qui flottait à la surface. Ce dessert qu'elle avait inventé et qui semblait sortir tout droit des années cinquante, Irène l'avait baptisé «l'Iceberg».

Elle lui demandait constamment s'il voulait quelque chose, s'il avait besoin de quelque chose, si tout était «à son goût». Jean, qui souffrait en silence de l'absence de ses parents, se sentait comme un roi dès que sa grand-mère apparaissait.

— Te souviens-tu quand j'allais te garder à Ville Saint-Pierre?

— Très bien.

— T'étais tout petit à l'époque.

— J'avais sept ans quand on a quitté le quartier.

— Oui, c'est ça, sept ans... La p'tite enfance, c'est la plus belle partie de la vie. J'aimais beaucoup aller te voir. Tu sais, quand mes propres enfants étaient jeunes, j'avais pas toujours le temps de m'occuper d'eux autant que j'aurais voulu. Particulièrement ta mère. J'ai recommencé à travailler quand elle avait à peine deux ans. Mon p'tit trésor. Chaque matin, quand j'sortais de la maison pour aller travailler, c'était inévitable, j'pouvais rien y faire : j'partais à pleurer. J'avais toutes les misères du monde à m'en détacher, même si j'savais que son père s'en occuperait bien, j'avais aucune inquiétude à ce niveau-là, mais j'considérais que c'était à moi de le faire, comme je l'avais fait pour les deux autres. C'est le rôle de la mère d'élever ses enfants, pas celui du père. C'était épouvantable… Tu sais que ma mère est décédée quand j'avais exactement cet âge-là, deux ans ?

— Oui, tu m'as déjà raconté son histoire.

— La pauvre… C'était une sainte. Chaque matin, j'avais l'impression d'abandonner ma p'tite Marie, comme j'avais été abandonnée bébé. J'aurais voulu être là pour elle, tout le temps, du matin au soir. Y a rien de pire dans la vie que de pas avoir connu sa mère… Je revivais ça chaque matin quand je refermais la porte derrière moi.

Irène sortit un mouchoir d'une des manches de sa robe, s'essuya les yeux, puis le remit avec le reste de sa collection, le long de son bras.

— Ton mari était trop malade pour travailler ?

— Ben oui, c'était pas de sa faute, Paul-Émile se battait contre le cancer, le pauvre… Mais y fallait ben que quelqu'un ramène de l'argent à la maison.

Irène fixa une photo de son mari, qu'elle avait placée bien en vue dans sa bibliothèque. Comme ceux de François, son fils disparu, les traits de Paul-Émile s'affichaient aux quatre coins de la demeure. Un visage décidé, qui ressemblait à s'y méprendre à celui du célèbre Walt Disney. Il était décédé en 1977, deux ans après François, victime lui aussi de la terrible maladie qui massacrait sans remords de nombreux membres de la famille Tétreault : le cancer. Mais le déclin de Paul-Émile fut beaucoup plus long. Il avait souffert le martyre pendant des années avant qu'on lui diagnostique enfin un cancer du pancréas et qu'il comprenne que le mal qui lui rongeait le ventre n'était pas passager, ne disparaîtrait pas, qu'il allait seulement s'accroître encore et encore, jusqu'à tout avaler : sa raison et sa réalité. Les dernières années de la vie de Paul-Émile avaient été ponctuées de quelques moments de grâce, mais surtout de longs passages noirs, où seul l'alcool arrivait à apaiser ses angoisses.

— T'en avais beaucoup sur les épaules.

— Quand le bon Dieu décide de quelque chose, ça sert à rien de se poser un million de questions, alors j'ai agi, un point c'est tout. Mais j'me souviens de l'instant où Paul-Émile m'a annoncé de quelle maladie y était atteint, et qu'y devait pratiquement cesser de travailler : un grand frisson m'a parcouru la colonne vertébrale... J'avais compris et accepté, immédiatement, que j'allais devoir retourner sur le marché du travail. Après quinze ans à la maison, c'était pas évident du tout. Épeurant même. Mais ce que j'ai trouvé le plus dur, ç'a été de quitter ma p'tite Marie. Matin après matin. Dans l'autobus, j'me cachais dans mes mouchoirs du mieux que j'pouvais, mais c'était plus fort que moi. C'est pas mêlant, j'me ressaisissais seulement à l'entrée de la cour l'école. J'allais tout de même pas pleurer devant mes élèves. Une vraie Madeleine. Ç'a été de même jusqu'à ce qu'elle entre à l'école. C'est niaiseux, hein ?

— Ben non, pas du tout.

Irène agrippa la main de Jean en lui souriant affectueusement.

— Mais j'me suis reprise avec toi. Ça m'a permis de faire la paix avec ça. Enfant, t'étais beau comme un cœur. Pis intelligent à part de t'ça ! Mais tannant pour deux, par exemple.

Elle hurla de rire.

— J'avais juste beaucoup d'énergie, c'est tout.

— J'appelle pus ça avoir beaucoup d'énergie : tu bougeais tout l'temps. Du matin au soir. Un vrai p'tit diable ! Pis pas couchable par-dessus l'marché ! C'était épouvantable. Quand tes parents sortaient un peu plus tard, c'était pas rare que tu viennes me réveiller dans le salon où je m'étais endormie, devant la télévision. Tu venais réclamer ton histoire, parce que, évidemment, y était pas question que tu t'endormes sans avoir eu ton histoire…

— J'aimais les histoires ?

— Aimer ? C'est peu dire. Mais le pire, c'est que tu voulais toujours que j'te lise les mêmes maudits livres. J'étais tellement écœurée. À quoi bon les lire si t'es savais par cœur ? Pis j'veux vraiment dire par cœur : tu connaissais chaque phrase, chaque mot, chaque virgule du texte. Pour aller plus vite, des fois, j'essayais de sauter une phrase par-ci, une page par-là, mais pas moyen, tu me faisais recommencer à chaque fois.

Irène prit une petite voix aiguë pour l'imiter :

— C'est pas « la maison du pompier », c'est « la caserne aux trois tours et aux portes rétractables d'où sortent les gros camions rouges sur lesquels embarquent les pompiers lorsqu'ils vont éteindre un feu ».

Ils riaient aux larmes.

— T'exagères !

— À peine, j'te dis. Y avait pas moyen de t'en passer une…

Irène lui caressa délicatement la joue du bout des doigts. Comme pour ses propres rejetons, elle aurait voulu qu'il demeure petit à jamais, un enfant qui ne poserait jamais de questions, ne retournerait jamais les pierres familiales pour découvrir les secrets enterrés.

Mais Irène savait mieux que quiconque que c'était impossible.

Marie et Manon préparaient une sauce à spaghetti pour le souper, alors que Louis et Jean lisaient tranquillement dans leurs quartiers respectifs. Soudain, Irène les interpella : Lucien Bouchard, le premier ministre en personne, flanqué d'André Caillé, le président d'Hydro-Québec, tenaient un point de presse en direct. En un rien de temps, tous se rejoignirent dans le boudoir pour écouter les deux hommes, qui se faisaient rassurants sur la situation, malgré sa détérioration constante.

Le premier ministre Bouchard expliquait calmement, de sa voix de baryton qui ne connaissait pas les hésitations ni n'autorisait les remises en question, que les soldats apportaient à l'instant même leur précieuse aide aux régions les plus sinistrées et qu'« ils faisaient tout ce qu'il était possible de faire ». Cet homme qui, il y a deux ans à peine, avait presque donné un pays aux Québécois avait le don rare d'inspirer la confiance et de réconforter. André Caillé, avec son col roulé à l'effigie de la société d'État, avait quant à lui réponse à toutes les questions techniques. Ils formaient un duo de relations publiques de rêve. De plus, comme tant de leurs concitoyens, ils étaient également victimes des événements et de pannes dans leurs propres maisons.

D'emblée, ils démentirent la rumeur qui avait commencé à circuler à RDI, et qu'Irène avait gardée sienne, concernant un black-out prévu pour Montréal dans la soirée. Il n'avait jamais été question de plonger la ville dans la noirceur pour transférer de l'électricité vers une autre région.

Le point de presse rassura la famille, même si rien n'était réglé et que la pluie verglaçante ne cessait de tomber, et la glace, de s'accumuler.

*

De belles assiettes de pâtes à la viande fumaient sur la table de la cuisine. La maisonnée mangea dans une bonne humeur relative, malgré les circonstances sur lesquelles, ils s'entendaient tous là-dessus, ils n'avaient aucun pouvoir. Des gens de bonne volonté faisaient le maximum pour rebrancher les foyers plongés dans le noir. Il fallait leur faire confiance.

Puis les échanges cessèrent ; chacun se terra dans le silence, préférant taire ses doutes et ses angoisses.

La porte d'entrée s'ouvrit et se referma brusquement. Irène s'élança pour accueillir son fils qui rentrait du travail.

— Ah mon Dieu, enfin! J'suis tellement soulagée que tu sois arrivé! Avec tous les fils électriques qui pendent pis les arbres qui tombent, c'est pas le moment de traîner dehors.

— Ouais, c'est pas joli, joli, mais y faut ben du monde pour surveiller les voyous pis pour s'assurer qu'la ville sombre pas dans le chaos.

Arthur fit irruption dans la cuisine en héros, son *Journal de Montréal* plié sous le bras, alors que Manon, Louis, Marie et Jean achevaient sans grand intérêt leur deuxième partie de cartes de la soirée.

Arthur était survolté, comme à son habitude, mais la fatigue ajoutait une couche d'énervement à ses mouvements.

— Assis-toi, Ti-Thur, l'enjoignit Irène, assis-toi, tu l'as mérité. J'vais te servir ton souper.

Il s'installa à côté de Louis, mais était trop agité pour rester sur sa chaise. Il se releva et alla se servir un verre d'eau.

— Assis-toi que j't'ai dit! insista sa mère. Je m'occupe de tout. Ça fait vingt-quatre heures que tu travailles, assis-toi pour l'amour!

Il regagna sa place, légèrement mécontent, et cala son verre d'eau, ce qui sembla le calmer momentanément.

— Pis, ç'a l'air de quoi dehors? demanda Manon.

Il afficha un air sérieux, l'air de celui qui revient de la guerre.

— C'est l'enfer! Ceux qui sont pas absolument obligés d'sortir sont mieux d'rester en d'dans. Les routes sont glacées, les arbres qui tiennent encore deboutte risquent de s'effondrer à tout moment pis y a des branches un peu partout. C'est dangereux. En m'en v'nant icitte, j'ai roulé des grands bouttes dans l'noir. Des quartiers complets sont comme coupés du monde. J'ai même vu des camions de soldats.

Un grand soupir de soulagement suivit cette affirmation.

— Au moins, y ont envoyé de l'aide, souligna Marie.

— Vous êtes mieux en d'dans. Moé, c'est pas pareil, j'ai juste pas l'choix...

Manon se leva, décidée.

— Bon ben, j'vas aller faire une brassée de lavage, si on veut avoir du linge propre à mettre devant nos invités. Marie, as-tu besoin de laver quèqu'chose?

— Oui, merci, j'vais en profiter.

Manon disparut dans l'escalier tandis que Marie se dirigeait vers le salon.

Arthur profita du mouvement pour chuchoter quelques mots à l'oreille de Louis :

— Ostie d'études à marde !

Louis interrogea son beau-frère du regard, ne sachant quel sens donner à cette subite déclaration, alors qu'Irène déposait le repas devant son aîné.

— Tiens, mon Ti-Thur. As-tu besoin d'autre chose ?

— Merci, môman, c'est ben parfait d'même.

— Mange bien là, t'as besoin de reprendre des forces. T'as bien travaillé !

Elle resta debout à ses côtés, prête à répondre à sa moindre demande.

— C'est beau, môman, tu peux retourner faire c'que tu faisais.

Cette phrase parut la conforter.

— J'suis juste à côté. J'vais garder la porte ouverte. T'as juste à m'appeler si t'as besoin d'autre chose.

— C'est ben beau !

— Ça vaut pour toi aussi, mon Ti-Jean.

— J'ai besoin de rien. Va te reposer, grand-maman, lui proposa-t-il.

Irène se dirigea alors vers son boudoir. Arthur regarda Louis et Jean en souriant.

— Si j'y dis pas d'me laisser, a peut rester deboutte à côté d'moé pendant des heures.

Puis il fixa Jean, sérieusement. Celui-ci fut soudainement convaincu que Manon lui avait parlé de sa visite interdite au sous-sol.

— Pis toé, j't'ai entendu tutoyer ta grand-mère. Depuis quand tu fais ça?

Jean était presque soulagé.

— Depuis toujours! répondit-il, comme si c'était une évidence.

— Tu devrais pas, c'est pas correct, est âgée pis tu devrais la vouvoyer, comme j'le faisais avec mes grands-parents quand j'avais ton âge.

— Les choses ont pas mal changé depuis ce temps-là, Arthur, y a pus personne qui vouvoie ses grands-parents.

Arthur prit Louis à témoin et lança:

— Ah les jeunes... Ça respecte pus rien. Les bonnes manières, c'est pas passé date à c'que j'sache.

— J'vouvoie les étrangers, mais pas grand-maman... J'la connais depuis toujours, ça serait vraiment bizarre, pis de toute façon, elle s'est jamais plainte de ça.

— Bon ben, fais à ta tête d'abord! lâcha Arthur, exaspéré.

Louis fit un clin d'œil à son fils, puis s'adressa à son beau-frère, qu'il avait visiblement l'intention de faire parler. Au milieu de cet ennui qui prenait toute la place, ça aurait au moins le mérite de les divertir.

— Qu'est-ce qu'elles t'ont fait, les études, pour que tu les détestes tant que ça?

Arthur sembla déstabilisé. Il avait déjà oublié sa surprenante déclaration. Il plissa le front, cherchant à quoi Louis faisait référence, puis parut se rappeler. Il esquissa un sourire et annonça avec fracas:

— J'ai des serrements d'gosses, sacrament !

Louis éclata de rire au moment où Marie apparaissait les bras chargés de linge sale. Elle secoua la tête en fronçant les sourcils.

— Franchement ! Tu peux pas faire attention à ce que tu dis devant Jean ?

Si douce d'ordinaire, elle paraissait en colère.

— *Scuse me*, sœur supérieure !

Arthur refaisait le coup. Ce qu'il affectionnait par-dessus tout était de lâcher, au milieu d'un groupe, une de ces phrases provocantes qui sortaient de nulle part. Il captait ainsi l'attention de tous et pouvait dès lors contrôler les discussions.

— Jean, t'es pas obligé d'endurer ses niaiseries, tu sais.

D'un signe, Jean indiqua à sa mère que ça allait.

Marie toisa une dernière fois son frère avant de s'éclipser derrière la porte. Ses pas résonnèrent lourdement dans l'étroit escalier de bois.

Arthur se leva en ricanant, prit une Wildcat dans le frigo, puis les rejoignit. Il avait trouvé son public, le show pouvait commencer.

— Depuis qu'Manon est retournée aux études, a passe tellement de temps le nez fourré dans ses livres qu'on fourre pus jamais ! C'est pas des farces ! J'ai des ostie de serrements d'gosses, pis ça fait mal en sacrament !

Il se leva de nouveau en pointant de ses deux mains lesdites gosses serrées.

— Ça fait un mois qu'est en vacances. Ç'a dû s'arranger? lui demanda Louis.

Arthur bavait tellement il souffrait.

— Même pas, tabarnak! A fait la grève d'la couchette! Tellement obsédée qu'a l'étudie même entre ses sessions. Des journées d'temps. Tu comprends-tu que moé, son cours d'infirmière, j'commence à l'avoir profond!

— Mais Arthur, elle apprend plein de choses intéressantes pendant ce temps-là…

— T'expliqueras ça à mes couilles, tabarnak!

Arthur laissa échapper un soupir rempli de regrets.

— Crisse que j'aurais jamais dû lâcher la musique pis la vie d'club. La pire erreur que j'ai jamais faite… Mes liquides circulaient sans problème dans c'temps-là! Mes boys restaient pas enfermés longtemps, y étaient libres pis y faisaient du tourisme en sacrament!

Louis riait comme un bon. Ce soir, la vulgarité d'Arthur l'excitait.

— On arrivait su'l stage, les femmes s'pouvaient pus, tu comprends. Ah, la magie du stage… Ça opérait à chaque fois! J'mettais le pied dessus pis a me r'gardaient avec des étoiles d'ins yeux. Pis comme on jouait deux sets, à 10 h pis à minuit, ben les étoiles brillaient un peu plus fort à mesure qu'la soirée avançait. À partir de notre troisième toune, on se r'gardait pis on s'les partageait: «C't'à ton tour de prendre la grande! Moé, j'pars avec la p'tite blonde… »

Arthur émit un petit rire saccadé, prit une autre gorgée de bière, puis poursuivit de plus belle son histoire salée, les yeux plissés :

— Une bonne fois, c'pas mêlant, ça faisait deux semaines qu'on jouait à'même place, aux Îles-de-la-Madeleine, pis y avait une p'tite grosse qui arrêtait pas de m'faire de l'œil. C'était avant qu'Manon rentre dans' gang. 'Était là à chaque soir pis a me r'gardait en mouillant ses culottes, m'envoyait des paquets d'becs pis d'clins d'œil. Mes partners en pouvaient pus d'rire de moé. Mon bassman, le grand Pierre, avait passé une bonne partie du set caché derrière son lutrin, crampé ben raide. Moé, j'étais aux claviers dans l'fond pis j'devais leader l'band, faque j'avais pas l'temps d'niaiser, mais c'était gossant à la longue… À un moment donné, j'me suis tanné pis j'me suis dit que si j'y donnais c'qu'a voulait, a finirait ben par m'sacrer patience. Faque à'fin du set, j'y ai fait signe de m'suivre dans ma loge. À s'pouvait pus, la chanceuse, c'était la plus belle journée d'sa vie, t'imagines : coucher avec le leader du top band de Montréal ! On rentre dans'loge, a l'enlève ses vêtements, j'entendais mes chums rire dans'pièce d'à côté, mais quand même, j'voulais pas être méchant ou rien, c'était une bonne fille, faque j'baisse les lumières pour m'donner du courage, j'mets d'la musique, j'me mets à job pis j'fais ma BA d'la semaine. A criait comme une damnée, la maudite…

Louis regarda son fils et décida d'intervenir.

— Oui, bon, Arthur, j'pense que tu peux sauter les détails.

— Ben voyons donc… C'est les détails qui font les bonnes histoires, pis chus certain que Jean en a déjà entendu des pires que ça, pas vrai, mon Johnny Boy?

Jean se sentit pris entre les deux hommes de la maison.

— Y a détails pis détails, on va encore être ici demain matin si tu continues comme t'es parti…

Arthur sembla légèrement déçu par la remarque de son neveu.

— Écoute quand même, ça pourrait te servir un jour… Alors comme j'disais, a faisait un boucan d'enfer. J'y disais de s'la fermer, mais'était comme en transe. Les clients d'vaient nous entendre jusque su'l'trottoir. J'avais hâte qu'on finisse… Les groupies, fallait s'en occuper, y étaient précieuses, c'tait bon pour la business pis comme a v'naient quasiment toutes vers moé, ben fallait que j'fournisse!

— T'es trop bon, ironisa Louis.

— Tu ris, mais toujours répondre à la demande, ça fatigue… Faque j'la r'tourne de bord pour la faire taire un peu, mais dans l'noir, j'savais pus trop si'était à l'endroit ou à l'envers…

Arthur riait sans arrêt et avait toutes les difficultés du monde à raconter son histoire. Louis aussi rigolait avec vigueur, malgré une certaine gêne devant son fils; il était visiblement friand de ce genre de récit.

— J'voulais juste que ça finisse au plus crisse. J'avais pris mon rythme de croisière, j'entendais pus le band rire, ça allait mieux, quand tout à coup, l'alarme de feu résonne. C'tait ma chance! On s'est rhabillés en vitesse pis on est sortis dehors. Mais qui c'est qu'vous pensez qui m'attendaient, en hurlant de rire?

Louis et Jean n'eurent même pas le temps de répondre qu'il enchaînait:

— Ben oui, comme de raison, c'étaient mes chums qui l'avaient déclenchée. Y trouvaient que j'faisais pitié pis y voulaient m'sauver. Ostie! Juste des bons souvenirs…

Arthur les regarda avec de grands yeux nostalgiques.

— C'était toute qu'une époque! J'aurais jamais dû lâcher ça…

— Tu te verrais encore travailler dans les clubs, à ton âge? T'as quoi, quarante-cinq ans? le questionna Louis.

— Quarante-quatre.

— Tu te verrais encore rentrer aux p'tites heures du matin, sentant la cigarette à plein nez, pis aller te coucher pour la journée?

— Bah… je m'arrangerais. Pis surtout, j'aurais pas d'sacrament de serrements d'gosses à cause de c'te crisse de cégep à marde pis des ostie d'études de ma femme! Tsé, j'refusais des contrats à chaque semaine dans c'temps-là. Les meilleurs clubs du Québec s'battaient pour nous booker. Pis c'tait pas pour nos beaux yeux. Les gérants savaient qu'on remplirait la place, y savaient qu'on leu'ferait faire des bidous, qu'on ferait sonner la caisse enregistreuse pis qu'y vendraient d'la bière en masse. Y en commandaient toujours plus quand y savaient qu'on s'en v'nait. En plus du cachet, on avait une cote sur l'alcool. C'était payant pour tout l'monde. Ça marchait, mes affaires... J'roulais en Corvette, le band avait sa van de tournée pis tout l'monde jouait sur des instruments top qualité, dans des costumes faits sur mesure...

— Les one-pieces blancs?

— En plein ça, répondit-il fièrement à Jean, qui fut incapable de retenir un rire.

Arthur lui lança un regard noir.

— Tu sauras, mon Johnny Boy, que c'était c'qu'y avait de plus à'mode à l'époque! Ça m'avait coûté une fortune. Tu peux pas comprendre ça, toé, t'as jamais travaillé d'ta vie...

Louis intervint avant que ça ne dérape.

— Vous aviez des affiches aussi, j'crois?

— Ben certain! Des photos, des flyers, des t-shirts même! On était connus, pis pas à peu près à part de t'ça!

— Vous jouiez quoi comme musique?

— Juste des hits! C'qui pognait! Queen, Led Zep, les Beatles, les Rolling Stones, Stevie Wonder, Charlebois, Jean-Pierre Ferland, Offenbach... *Name it*, stie! On jouait tout c'qui sonnait ben! Pis dans c'temps-là, d'la bonne musique, c'est pas c'qui manquait. Ça aussi, ç'a ben changé. Maintenant, c'est rendu toute pareil... D'la maudite musique en boîte! Les ordinateurs ont toute scrapé. Dans notre temps, c'tait des vrais musiciens qui jouaient des vraies tounes. Les membres du band pouvaient jouer n'importe quoi. Fallait toujours arriver avec les tounes qui étaient au top des charts. Mais fallait qu'ça rocke! On était dans des bars, tu comprends, fallait s'faire entendre, fallait qu'la musique enterre les soûlons pis les bagarres.

— Les gens se battaient pendant vos shows?

Arthur regarda son neveu, le torse bombé de fierté.

— C'tait rock and roll dans c'temps-là, mon Johnny Boy! C'tait pas rare qu'à'fin du deuxième set, la chicane pogne. Le monde prenait un coup solide, y suffisait d'pas grand-chose pour partir le bal. Nous autres, même si ça virait en bataille générale, fallait surtout pas arrêter d'jouer. On continuait comme si de rien n'était. Mais j'te garantis que j'les watchais. Les bouteilles de bière pis les chaises r'volaient. Pis le lendemain, on voyait les deux gars qui avaient passé proche de s'tuer la veille à'même table, bras dessus bras dessous, en train d'rire comme des bons. Y s'souvenaient pus de rien. Ostie! Dans mon band, j'avais deux critères quand j'engageais: fallait qu'tu sois un bon musicien pis qu'tu mesures six pieds ou plus. Quand on arrivait à quèque part, c'tait pas mêlant, on avait l'air d'une équipe de football.

Arthur alla déposer son assiette dans l'évier, empoigna une deuxième bière puis déclara:

— Mais c'tait trop beau pour durer. Les clubs ont commencé à s'vider peu à peu pis y ont fermé les uns après les autres. Le monde aimait mieux rester chez eux pis r'garder leur TV. Le band s'est séparé pis y a fallu s'recycler. Ça r'viendra pus, toute ça, c'est fini. Mort et enterré. C'tait vraiment l'bon temps !

Marie surgit de l'escalier, l'air enragé.

— Le bon temps, ça dépend pour qui, hein ?

Arthur se figea.

— Ben voyons !

Elle se pencha à la hauteur de son frère.

— Y avait ceux qui s'amusaient pis ceux qui prenaient leurs responsabilités…

Puis elle s'enfuit vers le salon.

Son commentaire jeta un froid dans la pièce.

Arthur cala son restant de bière puis fixa le vide en rêvassant à sa gloire passée. Jean sentit sa peine, sa déception de savoir qu'il n'entendrait plus son nom résonner dans des haut-parleurs, qu'il ne le verrait plus jamais imprimé sur des affiches et, surtout, que plus personne ne l'applaudirait comme avant. Arthur était passé de musicien-vedette à gardien de sécurité et tentait par tous les moyens de sauvegarder ce qui lui restait de dignité.

Il s'étira.

— Ben moé, j'commence à canter solide… Y a ben une game à soir ?

— Contre les Islanders, précisa son neveu. Les Canadiens se sont rendus à New York en autobus. C'était impossible par avion.

— À c't'heure-citte, on devrait pouvoir attraper la fin d'la troisième. Y vont encore perdre, mais ça va m'changer les idées.

— Nous aussi on va aller regarder ça dans le salon, hein, Jean ?

— Ouais.

Arthur, en passant à côté de son neveu, l'air de rien, lui flanqua une bine sur l'épaule, qui lui fit vraiment mal. Jean ne s'était pas du tout méfié.

— Ayoye !

Bonne nuit, mon Johnny !

Arthur fila vers sa chambre, au bout du corridor, où il écouta la fin de la partie, la tête dans les montagnes.

— Ça va, Jean ? s'inquiéta son père.

— Oui, oui, répondit-il, orgueilleux.

— Viens, on va aller dans le salon.

Il ne restait que deux minutes à la troisième période et les Canadiens menaient huit à deux. Un véritable massacre. Les Montréalais avaient l'impression que l'équipe avait gagné ce match pour leur ville et ses habitants, que les joueurs s'étaient défoncés pour leur remonter le moral. C'était comme un baume, un instant de bonheur au milieu de cette catastrophe qui ne cessait d'empirer ; une pause pour leurs nerfs fragilisés, pendant laquelle ils avaient presque oublié que la pluie verglaçante continuait de tomber et de tout saccager sur son passage.

En regardant les commentaires d'après-match, Jean se perdit dans ses pensées. Une idée s'incrusta dans son esprit, malgré sa volonté, une idée si forte qu'elle écrasait toute remise en question sous le poids de sa cruelle vérité : peu importe le temps qu'il faisait dehors, peu importe la catastrophe qui imposait ses règles à des millions de Québécois, une partie beaucoup plus fondamentale était en train de se jouer à l'intérieur des murs qui l'entouraient. Un bras de fer entre les adultes qui tournoyaient autour de lui sans jamais vraiment se rencontrer, se parler, mais dont les instincts profonds et primaires remontaient peu à peu à la surface. Bientôt, et il ignorait quand et comment exactement, ce serait l'éclatement. De ça, il était certain. Et alors, il serait trop tard.

JOUR 3
9 janvier 1998

«Il est 7 h et c'est maintenant le temps des nouvelles régionales: la situation dans la région métropolitaine s'est grandement détériorée au cours de la nuit…»

Jean sursauta dans son lit. La radio jouait à tue-tête.

«… les quartiers d'Ahuntsic, d'Anjou, de Villeray, tous les alentours du boulevard Métropolitain et une bonne partie du centre-ville sont maintenant privés d'électricité. Ils s'ajoutent à la longue liste des quartiers montréalais qui étaient déjà privés de courant…»

La voix radiophonique parvenait d'une autre pièce.

«… Ces nouvelles pannes sont dues à l'effondrement de dizaines de pylônes du réseau de transport de la Baie-James et de la Côte-Nord qui approvisionnaient en partie la ville de Montréal…»

Jean enfila ses pantalons et partit en quête de la source du son.

«… Hydro-Québec lance un appel à la population: réduisez au minimum votre consommation d'électricité, fermez les lumières qui ne sont pas absolument nécessaires, baissez le chauffage de deux degrés dans la maison, éteignez tous les appareils électroménagers qui ne servent pas…»

C'était Manon, qui avait monté le volume de sa radio au maximum.

— Eille! C'est-tu nécessaire de mettre le son aussi fort?

Manon était penchée contre la cuisinière et fumait une cigarette sous la hotte en marche. Sans même se retourner, elle lui lança:

— Y est 7 h, pis y est temps qu'tu t'lèves. Tu vas pas rester couché toute la journée! Pis si t'es pas content, tu peux t'en r'tourner chez vous!

«... On demande également à la population de réduire sa consommation d'eau potable et de l'utiliser uniquement pour des besoins essentiels...»

— As-tu fait exprès pour me réveiller?

La radio était tournée vers le mur qui séparait la cuisine de la chambre de Jean.

— Tu viendras pas faire la loi chez nous, maudit paresseux!

— Baisse le son au moins. C'est quoi l'idée?

— Je baisserai certainement pas l'son pour que tu puisses faire la grasse matinée! Ces temps-ci, être bien informé, ça peut faire la différence entre la vie et la mort.

La journée s'annonçait douce et remplie d'amour... Jean se rendit jusqu'à la radio et en baissa le volume à un niveau raisonnable. Sa tante, perdue dans son nuage de fumée, n'avait toujours pas daigné le regarder. Elle espérait peut-être qu'ils annonceraient en primeur le rebranchement de la maison de Jean, en en précisant l'adresse exacte, pour qu'elle puisse être la première à leur apprendre la bonne nouvelle et à leur tendre leurs manteaux pour qu'ils retournent immédiatement chez eux.

Jean retourna se coucher, mais avant même qu'il n'atteigne sa chambre, Manon avait déjà remis le son de la radio tel qu'il était lorsqu'il avait violemment fait irruption dans ses rêves.

« … Voici maintenant la liste des municipalités où il est fortement conseillé de faire bouillir l'eau pendant cinq minutes avant de la consommer… »

Il tenta de se rendormir, un oreiller sur la tête, mais le son, le ton, les commentaires des animateurs de la chaîne AM, tout était tellement agressant qu'il en fut incapable.

Il se leva et marcha d'un pas rageur vers la cuisine pour lui dire sa façon de penser, mais sa tante s'éloigna et disparut avec sa radio dans l'escalier en colimaçon. C'était trop ridicule : il éclata de rire.

Irène émergea dans la cuisine.

— T'es déjà levé ?

— J'ai pas eu tellement le choix : Manon m'a réveillé avec sa radio.

— J'viens à peine de mettre mon appareil. J'te dis que c'est pratique des fois : quand tu veux pus entendre quelqu'un, tu le fermes, pis là, comme par magie, y disparaît !

— Y est 7 h ! On peut-tu dormir juste un peu ?

— Laisse-la faire…

Irène regarda autour d'elle, s'assurant que personne n'écoutait.

— Air bête un jour, air bête toujours!

Elle s'esclaffa.

— Depuis le temps qu'on vit ensemble, j'ai compris qu'y avait rien à faire avec elle.

— Si j'étais toi, j'endurerais pas ça une journée de plus. C'est chez toi ici.

— Oublie ça, Ti-Jean. Assis-toi, j'vais te préparer un bon déjeuner.

Irène lui servit un jus d'orange et ils échangèrent des banalités. Cette petite aventure avait rendu Jean de bien mauvaise humeur. Il mangea rapidement puis retourna s'enfermer dans sa chambre. Il mit ses écouteurs dans lesquels Thom Yorke, le chanteur de Radiohead, se défoula pour lui au fil des sublimes chansons d'OK Computer.

Peu avant la fin du disque, Jean s'endormit, épuisé, les écouteurs sur les oreilles, en serrant les poings.

Une fois éveillé, Jean décida de rester dans sa chambre pour faire le mort et se cacher de ses colocataires imposés. Il se coupait du monde pour mieux recharger ses batteries de solitude. Il commençait à sentir le poids de la promiscuité peser sur ses frêles épaules. Tous les habitants ne faisaient pas des efforts égaux pour vivre en communauté et respecter le territoire de chacun.

Il eut envie d'écouter Jean Leloup. De l'entendre, baveux, crier sa présence sur cette terre à sa place, de se laisser galvaniser par ses riffs énergiques et ses refrains accrocheurs. C'était son chanteur préféré. Il lui faisait du bien et il aimait son côté rebelle. Comme un gros FUCK YOU aux conventions.

On cogna à sa porte.

— Oui?

— J'peux entrer?

C'était Marie.

— J'croyais que tu dormais.

— J'ai dormi un peu.

Elle s'assit à ses côtés, tentant d'atteindre ses pensées.

— Ça va?

— Ça pourrait être mieux, ça pourrait être pire…

Elle trouva que sa réponse résumait à merveille leur situation. Jean relança sa mère :

— J'peux te poser une question ?

Marie émit un léger son étranglé.

— Qu'est-ce qui s'est passé entre Arthur et toi ?

Elle aurait voulu ravaler sa salive, mais n'en trouva pas.

— C'est des vieilles histoires…

— On dirait pas : vous vous évitez encore.

Elle savait que, cette fois, elle ne s'en sortirait pas.

— Arthur et moi, tu l'as sûrement remarqué, on est très différents.

— J'ai remarqué.

— On voit pas les choses de la même manière, ce qui a causé beaucoup de frictions entre nous.

— Pourrais-tu être plus précise ? J'ai pus cinq ans, j'comprends.

Marie sourit, discrètement. Encore une fois, son fils avait raison.

— OK, mon Jean.

Elle prit une longue inspiration en fermant les yeux, puis cracha le morceau :

— Arthur, c'est pas vraiment le genre à se faire discret.

— On peut dire ça.

— Pôpa a longtemps été malade. Plus y vieillissait et plus y faiblissait. Dans les dernières années de sa vie, y était plus le même homme : toujours déprimé, y se perdait dans la boisson. Arthur a vu ça comme un signe et a voulu prendre sa place : être le père dans la maison. Môman travaillait tout le temps et François était à l'hôpital. Ne restait que moi à dompter…

Ces souvenirs la remuaient. Jean voulut l'arrêter, mais se retint. Il devait savoir.

— Y s'est mis sur mon dos et surveillait tout ce que j'faisais, ce que j'disais, ce que j'portais, avec qui j'sortais… J'étais adolescente, et ça m'énervait royalement. Mais quand j'lui demandais de s'occuper de ses affaires, y faisait de si grosses colères que j'ai commencé à encaisser ses commentaires, sans répliquer…

Quelques larmes coulaient le long de ses joues ; d'amers concentrés de rancune.

— Ç'a duré quatre ou cinq ans, jusqu'à ce que j'quitte la maison, le jour de mes dix-huit ans. J'en pouvais pu. C'était ça ou j'pétais au frette.

— J'savais qu'y était fou, mais pas à ce point. Ç'a dû être horrible.

— Y se battait avec mes chums, me disait à quelle heure rentrer, quelle musique écouter… Y se prenait vraiment pour mon père…

— Heureusement qu'y a pas eu d'enfants, y leur aurait fait vivre un véritable calvaire.

— Oui, heureusement…

Marie se réfugia dans les bras de son fils en tremblant légèrement. Elle ne pleurait plus, mais semblait avoir perdu le contrôle de ses nerfs.

Jean lui caressa lentement, très lentement les cheveux, jusqu'à ce qu'elle se calme complètement. Elle s'étendit quelques instants sur son lit.

— Mais pourquoi on est ici, si tu l'haïs tant que ça ?

— Je l'haïs pas, Jean, j'suis passée à autre chose. Pis j'ai cru que le verglas était peut-être un signe, le bon moment pour faire la paix avec mon passé. Et pour toi de mieux connaître ma famille. Ta famille. Tu penses pas que c'est important ?

— J'sais pas...

Elle essuya ses larmes et se leva. La discussion était terminée.

— Allez, viens, je t'ai préparé un bon dîner.

Jean comprit qu'il touchait aux limites émotives de sa mère. Il n'insista pas, même s'il avait la pénible impression de laisser la discussion en suspens, d'avoir à peine effleuré le cœur de sa souffrance.

Ils sortirent et suivirent l'odeur salée du macaroni au fromage qui les attendait dans la cuisine. Il était délicieux. Mais l'air était lourd dans la pièce : l'accès à l'eau à Montréal commençait à inquiéter sérieusement Louis. La capacité de pompage dans les usines de filtration Atwater et Charles-J.-Des Baillets était réduite par les pannes. Des liaisons avec des distributeurs d'eau potable avaient été établies par les responsables pour assurer l'approvisionnement des hôpitaux et des centres pour personnes âgées.

— Si jamais l'eau coupe, ça va devenir chaotique. Une grosse ville comme la nôtre sans eau... J'aime mieux pas y penser. Au pire du pire, si la situation devient insoutenable, va falloir quitter l'île.

Jean n'avait jamais vu son père aussi anxieux. Marie fixait le vide et tournait frénétiquement une mèche de ses cheveux. Manon monta le volume de la radio.

« Le bureau du premier ministre a confirmé que trois mille soldats supplémentaires allaient rejoindre cette nuit les trois mille déjà déployés dans la grande région de Montréal. De plus, le gouvernement québécois a fait appel à un organisme fédéral américain pour obtenir des lits, des génératrices et du pétrole, qui manquent cruellement sur le territoire. »

— Câlisse, ça va pas ben…

Manon n'aurait pu mieux résumer la situation.

« En ce qui concerne les conditions routières : les ponts Victoria, Jacques-Cartier, Mercier et Champlain sont fermés à la circulation. Des équipes sont en train de déglacer leurs structures. La moitié des vols sont annulés à l'aéroport de Dorval, et Via Rail a interrompu ses liaisons ferroviaires entre Montréal et Ottawa, Halifax, Toronto, Québec et même Gaspé. »

À cet instant précis, assis entre sa femme fragilisée et sa belle-sœur crispée, Louis aurait accepté de tout abandonner, sa maison, sa voiture, sa famille, son pays, pour se téléporter à Las Vegas, verre de whisky à la main, son tour de jeter les dés, loin, si loin de cette situation cauchemardesque et de cette angoisse qui gonflait et gonflait dans la demeure, jusqu'à tout écraser. Mais non, le mauvais sort l'avait confiné à Montréal, prisonnier des avions cloués au sol et de ses responsabilités qui le plombaient par les pieds, l'empêchaient de s'envoler.

Jean observait son père marmonner dans son coin d'inaudibles regrets, le front plissé, et sentait que quelque chose de plus grand qu'eux le grugeait, un secret ou un désir immonde, plus puissant, plus noir et plus destructeur que tous les nuages qui survolaient la ville et la transformaient en une gigantesque patinoire.

Louis se tourna vers son fils qui le fixait. Il sursauta. Il ne l'avait jamais vu le regarder avec des yeux aussi déterminés. Il avait la forte conviction qu'il lisait dans ses pensées.

À la radio, le constat s'éternisait. La ville était littéralement assiégée par le verglas. Seul le pont-tunnel Louis-Hippolyte-La Fontaine permettait de quitter l'île. Louis en prit bonne note.

— Quand est-ce que ça va arrêter ? soupira Marie.

— La météo a dit qu'la tempête devrait cesser cette nuit, c't'au moins ça…, précisa Manon.

— Ça fait combien de fois qu'y disent ça ? ajouta Jean, sceptique et de plus en plus découragé.

Louis saisit la balle au bond.

— Va falloir se préparer, déclara-t-il. J'vais aller chercher d'autres provisions. J'vais aussi aller voir si la maison est OK. J'ai téléphoné tantôt pis le répondeur a toujours pas embarqué. L'électricité est pas revenue, mais j'veux en avoir le cœur net : une grosse branche pourrait être tombée sur le toit ou contre une fenêtre. J'veux m'assurer que tout est OK.

— Es-tu fou ?

Marie ne pouvait croire que Louis fasse preuve d'une telle témérité.

— Y arrêtent pas de dire aux gens de rester à l'intérieur, de surtout pas sortir dehors, que c'est trop dangereux. À quoi tu penses ?

— Mais qu'est-ce que tu proposes, Marie ? Qu'on reste ici pis qu'on se tourne les pouces ? Imagine si les pompes de la Ville manquent aussi d'électricité. Imagine que l'eau coupe d'une minute à l'autre. Qu'est-ce qu'on fait, hein ? À la gang qu'on est, on a de quoi boire pendant deux ou trois jours, gros max. Faut réagir, se préparer au pire. On a pas le choix. Pis inquiète-toi pas, les soldats sont en train de ramasser les branches dans les grandes rues de la ville. De toute façon, si c'est trop difficile, j'vais revenir sur mes pas, c'est tout.

— Et si y t'arrivait quelque chose ?

Marie manquait d'arguments.

— Inquiète-toi pas, j'vais être super prudent.

Il embrassa furtivement sa femme, se retourna vers son fils qui n'avait cessé de l'examiner, alla chercher son manteau et ses bottes puis disparut dans le petit escalier qui menait au sous-sol, retrouver sa voiture et un peu de liberté.

Une désagréable odeur de caoutchouc brûlé émanait du four à micro-ondes. Manon y avait placé, il y a plusieurs minutes, un gros pot d'où s'échappaient de puissantes émanations chimiques qui emplissaient peu à peu la pièce.

— Manon, c'est quoi qu'tu fais chauffer dans le micro-ondes? osa Marie.

— D'la cire.

— Ça pue! souligna Jean.

— Énarvez-vous pas. J'vas l'enlever, là. Faudrait-tu que j'change toutes mes habitudes pour vous autres?

Marie s'empressa de la rassurer et de tuer dans l'œuf cette dernière montée de tension.

— Ben non, ben non, Manon, c'est pas ça qu'on dit. Fais ce que t'as à faire, y a pas de problème.

Manon prit le pot dans le micro-ondes et disparut dans la salle à manger.

— Y est vraiment bon ton macaroni, maman, précisa Jean en y plongeant de nouveau sa fourchette.

— Merci, mon grand!

Manon revint dans la pièce, allongea sa jambe sur la chaise à côté de Jean, puis tira très fort sur une bande de plastique qu'elle avait collée contre son mollet. Shlak!

Jean se leva d'un bond, n'en croyant tout simplement pas ses yeux.

— Tu viens-tu de t'épiler la jambe dans ma face? J'en r'viens pas! C'est quoi, ton ostie de problème?

Marie, partageant l'indignation de son fils, était foudroyée par la grossièreté du geste de sa belle-sœur.

— Eille, Jean, tu commences à prendre pas mal de place icitte! rétorqua Manon. Si on t'écoutait, faudrait arrêter d'vivre dès que t'apparais!

Il était pétrifié, la bouche ouverte, dégoûté par les nombreux poils accumulés sur la languette de plastique qui pendait à la main de sa tante.

— Mais t'es dégueulasse! J'suis en train de manger, en plus!

Manon le fixait en souriant, fière de son effet. Marie, hébétée, ne savait tout simplement pas quoi dire devant un tel étalage d'imbécillité.

Jean se précipita dans l'escalier en colimaçon, dans l'espoir de rattraper son père avant qu'il ne parte.

La porte de garage s'ouvrit dans un grand bruit de ressorts mal huilés. Louis avait les deux mains posées sur le volant et s'apprêtait à quitter les lieux. Jean cogna frénétiquement à sa fenêtre. En l'apercevant, Louis ne put réprimer une légère grimace d'agacement, qui attrista profondément son fils. Il baissa la vitre de moitié.

— Emmène-moi avec toi!

Louis ferma les yeux.

— J'peux pas.

— J'vais t'aider.

— J'peux pas, j'te dis.

— Faut vraiment que j'sorte d'ici…

— C'est non, Jean, ça sert à rien d'insister.

— Pourquoi? J'comprends pas. Et si y est vraiment arrivé quelque chose à la maison, si un arbre est tombé sur le toit, tu pourras pas tout faire tout seul.

— C'est pas ça, c'est juste que j'dois régler des choses qui te concernent pas.

— J'serai pas fatigant, tu le sais, j'veux juste prendre l'air, moi aussi.

— J'vais pas à la maison !

Il avait haussé le ton, impatient, comme il le faisait parfois avec ses employés, pour leur rappeler qu'il était le seul et unique patron. Jean se figea, ne comprenant pas pourquoi son père réagissait ainsi.

— Là où j'vais, tu peux pas m'accompagner. C'est pas possible.

Pendant une fraction de seconde, Jean eut l'impression de faire face à un parfait inconnu.

— J'comprends pas…

— Y a rien à comprendre. Retourne en haut pis occupe-toi de ta mère. Tu sais qu'elle a besoin de toi.

Jean recula de quelques pas, puis observa la Mercedes de son père disparaître dans le virage. Il eut l'impression d'être avalé par une noirceur totale, de dégringoler dans un ravin sans fin ; l'écrasement, il en était certain, allait être violent.

— AAAAAAAAAAHHHHHHHHHH!

Ça venait de la cuisine.

— Y a pus d'eau! Y a pus d'eau!

Des pas venant de toutes les directions se préci-pitaient vers l'origine du cri. Jean remonta l'escalier, rejoignit le troupeau. Manon était appuyée contre l'évier, tremblante, les yeux hagards. Elle les regarda à tour de rôle: Irène, Marie et Jean.

— Non, non, non…

Elle était paniquée. Elle se retourna, prit une grande respiration, puis tourna de nouveau la poignée de l'eau froide: la tuyauterie se mit à tousser, puis cra-cha de brefs et inélégants jets d'eau.

— Non, non, non…

Elle tenta à plusieurs reprises de faire apparaître l'eau. Sans succès. Après un moment, face à l'évidence, elle quitta la cuisine et alla s'enfermer dans sa chambre, désespérée. Elle pleurait, ne pouvait plus en encaisser davantage: ses nerfs venaient de lâcher.

Ce que tous craignaient était en train de se produire.

— On a de l'eau pour quelques jours, dit Marie, mais va falloir se rationner… jusqu'à ce que la situation revienne à la normale. Une chance que Louis est parti en acheter.

— Ça va sûrement reprendre d'une minute à l'autre, ajouta Irène avec son calme habituel.

Puis elle retourna s'asseoir devant son téléviseur, où un journaliste affirmait que les usines de filtration d'eau de Montréal connaissaient des problèmes de pompage de plus en plus récurrents, et que les responsables étaient incapables de préciser quand, exactement, les irrégularités prendraient fin. La situation se détériorait à une vitesse folle et les catastrophes semblaient se multiplier à l'infini : le centre-ville était maintenant entièrement plongé dans le noir ; les pannes frappaient certains hôpitaux de la région de Montréal et de la Montérégie, qui étaient obligés de traiter uniquement les urgences jugées sévères ; six conduites d'eau avaient éclaté dans le Vieux-Montréal ; trente camions-citernes avaient été réquisitionnés et restaient en attente à l'ancienne carrière Miron, au cas où un incendie se déclarerait et où les pompiers se retrouveraient dans l'incapacité de puiser l'eau du réseau d'aqueduc ; les pylônes et les poteaux électriques s'effondraient à un tel rythme qu'Hydro-Québec ne pouvait chiffrer précisément le nombre d'abonnés privés de service. Le «triangle noir», formé des villes de Granby, Saint-Jean-sur-Richelieu et Saint-Hyacinthe, était particulièrement touché, coupé du monde, dévasté comme nulle part ailleurs : dans la seule ville de Saint-Jean-sur-Richelieu, plus de deux mille personnes avaient trouvé refuge dans une polyvalente où les frictions, les conflits et les batailles éclataient à répétition. Plus les heures avançaient, plus l'espérance d'un retour à la normale diminuait.

Un certain abattement semblait avoir gagné le Québec. Lucien Bouchard avait déclaré, dans sa conférence de presse quotidienne, qu'il s'agissait jusqu'à maintenant de la pire journée de la crise. Des images d'étalages vides dans les épiceries et les quincailleries tournaient en boucle aux bulletins d'informations. Les piles, les chandelles, les combustibles, les lampes de poche ainsi que l'eau potable étaient devenus des produits rares et prisés dans les commerces de la métropole. Les problèmes de ravitaillement causés par les fermetures de routes et de voies ferrées n'aidaient en rien la situation. Le cauchemar prenait encore de l'ampleur. Les lecteurs de nouvelles parlaient désormais de la «plus grande catastrophe naturelle de l'histoire canadienne».

Diverses solutions pour faire face à l'éventualité d'un arrêt prolongé de l'approvisionnement en eau potable circulaient: faire venir par camions de l'eau des autres villes du Québec, distribuer à grande échelle de l'eau en bouteille ou encore ouvrir des centaines de nouveaux centres d'hébergement où le gouvernement pourrait acheminer de l'eau en quantité suffisante pour satisfaire aux besoins de la population.

Depuis le début de la tempête de verglas, il était tombé à Montréal plus de quatre-vingts millimètres de pluie verglaçante, et la malédiction liquide continuait de sévir.

La tension était palpable dans la maison. Chacun se terrait dans son propre silence, abasourdi ; l'optimisme avait quitté les lieux. Jean, appuyé contre le cadre de porte, replié sur lui-même, comprit qu'il allait devoir survivre dans cette maison étrangère pendant encore plusieurs jours. Mais ce qui le décourageait le plus, c'était la façon de réagir des adultes autour de lui. Son père avait fui. Sa mère surnageait désespérément dans cette mer agitée en s'enfilant des pilules comme si c'étaient des Smarties, pour mettre son cœur et ses sentiments dans un coffre-fort capitonné, à l'abri des secousses et des remous. Manon amplifiait la menace, l'apocalypse inévitable, convaincue qu'ils n'en avaient plus que pour quelques heures à vivre, tandis qu'Irène cautionnait tous les excès de son fils colérique. C'était *business as usual* dans cette famille de fous, plongée dans une catastrophe trop grande pour elle.

Jean avait à la fois envie de hurler et de pleurer. Il alla s'enfermer dans sa chambre de poupée, s'évader dans ses bandes dessinées.

— C'est prêt !

Avec l'aide de Manon, qui avait partiellement repris le contrôle de ses émotions, Marie avait préparé un énorme pâté chinois, lequel allait, pensaient-elles, redonner des forces aux reclus du chemin de la Côte-Sainte-Catherine. Elles avaient dû limiter leur utilisation d'eau pendant la préparation du repas, laver les légumes dans un bol, comme au siècle dernier.

Le plat fumait au centre de la table et l'odeur se répandait dans toute la maison.

— Papa est pas encore rentré ? murmura Jean à l'oreille de sa mère.

— Non, pas encore, mais t'en fais pas, c'est rien, c'est rien…

— Ça fait six heures qu'y est parti.

— Je sais, Jean, je sais…

Son sourire était factice et ses yeux, humides. Manon eut un élan de tendresse et la serra dans ses bras.

— On devrait peut-être appeler la police, proposat-elle.

— Non, non, ça sert à rien, y sont débordés. Attendons encore un peu. Y s'en vient, je l'sais, je l'sens.

Manon servit le repas. Marie repoussa son assiette. Jean mangea en silence.

*

Irène vint les rejoindre : la réception de RDI était intermittente et, depuis quelques minutes, la neige avait envahi l'écran. Manon avait même éteint la radio, de son propre chef. Il était devenu difficile d'encaisser davantage de mauvaises nouvelles. Elles défilaient les unes après les autres depuis des jours et l'accumulation avait des répercussions sur leur état psychologique.

Au moment du dessert, Irène se leva et alla machinalement se remplir un verre d'eau : les tuyaux toussèrent, puis un mince filet s'échappa du robinet.

— L'eau est r'venue ! s'écria Manon en sautant de joie.

Tous convergèrent vers l'évier : c'était vrai, l'eau coulait généreusement ! Un grand sentiment d'euphorie les envahit alors : ils se serrèrent dans leurs bras, submergés de bonheur.

Une tonne de pression s'envola des épaules de Manon. Irène, qui avait survécu à la grippe espagnole, à la Seconde Guerre mondiale et au krach de 1929, entre autres, minimisait comme toujours les derniers événements :

— Y fallait pas s'inquiéter pour si peu. C'était pas ça qui allait nous achever, quand même.

Jean, partiellement soulagé, se disait qu'avec un peu de chance, son père reviendrait de sa mystérieuse destination, que la pluie cesserait de les marteler et qu'ils pourraient rapidement retourner à la maison. Mais soudainement, la tuyauterie émit de drôles de bruits. La pression de l'eau diminua brusquement de moitié; le robinet cracha de nombreuses trombes d'eau, puis plus rien : la source s'était tarie.

Les célébrations avaient été de courte durée. Faux espoirs, rien n'était réglé. Tout ne faisait qu'empirer, encore et encore. Cette crise du verglas était décidément éprouvante.

Marie déclara qu'elle ferait la vaisselle et les renvoya tous. Les fronts étaient de nouveau plissés et les regards, préoccupés. Irène s'enferma dans son boudoir et se plongea dans ses mots croisés, alors que Manon profita du rétablissement de la réception télé pour aller rêver devant *La poule aux œufs d'or*, dans sa chambre. Jean saisit un torchon et proposa à sa mère de l'aider.

— Va te changer les idées. C'est important de penser à autre chose.

— Essuyer la vaisselle, ça me relaxe. Pis j'ai passé pas mal de temps dans ma chambre, aujourd'hui.

— OK, mon grand.

— …

— Je m'excuse, Jean.

— Pourquoi ?

— J't'ai négligé ces derniers jours. J'suis tellement prise avec tout ce qui arrive que j't'ai oublié.

— Ben voyons! J'ai pas besoin qu'on s'occupe de moi.

— T'as raison.

Marie n'était pas dans la plus grande des formes.

— J'suis certain qu'y est correct, papa. Avant de partir, y m'a dit qu'y avait des choses à régler. C'est pour ça que c'est si long…

— Comment ça, des choses à régler? Quelles choses?

— J'sais pas, c'est tout ce qu'y m'a dit.

Elle regardait dans le vide en récurant une assiette.

— Pour son travail? poursuivit Marie.

— J'pense pas.

Marie lava et relava la même assiette, perdue dans ses réflexions.

— Ça va, maman?

— Hein? Ah oui, oui, ça va…

La sonnette de l'entrée résonna.

— Enfin! C'est lui, j'suis certaine que c'est lui!

Elle accourut vers l'entrée, remplie d'espoir: c'était Arthur.

— Ah, c'est toi…, dit-elle d'un air dépité.

— Wow, quel accueil! répondit-il.

Il n'avait pu ouvrir la porte parce qu'il tenait une énorme boîte dans ses bras. Il entra triomphalement dans la cuisine.

— Lâche ta guenille, Johnny Boy, pis sors des assiettes. À soir, c'est moé qui paye la traite!

Irène alla chercher Manon et, en quelques instants, ils furent de nouveau réunis autour de la table.

Arthur dévoila alors le contenu de la boîte mystère : un gigantesque gâteau forêt-noire. C'était beaucoup de luxe dans le contexte.

— T'arrives d'où avec ton beau grand gâteau, Ti-Thur ? demanda Irène. Les épiceries sont vides.

— C't'un cadeau d'mon boss. C'est pour me r'mercier de toutes les heures supplémentaires que j'ai faites. Chus l'seul qui est toujours game de travailler n'importe où, n'importe quand. T'as juste à m'caller, j'arrive, chus ton homme ! Y m'a dit que j'étais son meilleur employé. Y est vraiment correct.

— J'comprends donc ! renchérit Irène.

Marie empoigna le bras de son frère et l'emmena à l'écart.

— Louis a disparu.

— Quoi ?

— Y est parti après le dîner pis y est toujours pas rentré.

— Y est allé où, exactement ?

— Acheter des provisions pis voir si la maison était correcte, mais c'est beaucoup trop long...

Arthur sembla faire un calcul.

— La circulation dehors est vraiment difficile, Marie. J'vas reprendre des forces pis si y est toujours pas r'venu, j'irai faire un tour.

Elle aurait voulu qu'il parte sur-le-champ.

— La meilleure chose à faire est de l'attendre ici. On sera pas plus avancés si j'reste pris dehors moé itou.

— Non, c'est sûr…

— Y aurait appelé si y avait vraiment eu un problème. Sinon, la police ou l'armée l'aurait fait. Y sont partout.

Marie disparut au salon, pour surveiller la rue et l'arrivée espérée de son mari. Elle savait, au plus profond d'elle-même, que la présence de Louis la rassurait, qu'il lui apportait la stabilité et la protection sans lesquelles elle ne pouvait survivre. Elle était également convaincue, si elle arrêtait de se mentir quelques secondes, qu'il lui était arrivé quelque chose, ou qu'il avait lui-même déclenché quelque chose. Qu'était-il allé régler au juste ? Existait-il une réalité à laquelle elle n'avait pas accès ? Elle ne pouvait insuffler un sens aux cascades de pensées négatives qui jaillissaient en elle, hors de son contrôle. Elle avala deux comprimés apaisants et se contenta de suivre des yeux les rares faisceaux lumineux qui illuminaient le désastre qui les entourait.

Irène servit le souper à son fils, puis retourna finir ses mots croisés.

— Y est écœurant, le pâté chinois! Ça fait du bien, surtout après la journée qu'j'ai eue…

Jean termina son morceau de gâteau puis tenta de s'éclipser. Arthur le saisit par le bras.

— Où tu t'en vas, Johnny Boy?

— Regarder la télé dans le salon.

— Reste ici, on va jaser.

Il se figea. C'était un piège. Mais Arthur était si imprévisible qu'il ne fallait jamais s'aventurer à le contredire. De plus, son sourire était plutôt invitant. Jean se méfiait, mais avait-il seulement le choix? Il lui fallait faire preuve de bonne foi. Il était chez Arthur, après tout. Il se rassit sur la banquette, face à son oncle.

— C'est bien, ça. Veux-tu quèqu'chose? Un autre morceau d'gâteau? Une liqueur?

— OK. J'vais prendre un 7 UP.

— On en a pas, rétorqua Manon, qui n'en manquait pas une. Juste du Pepsi. Pis si c'est pas assez bon pour toé, tu peux aller t'en chercher au dépanneur!

— J'disais ça comme ça… Un Pepsi, ça va être ben parfait. Merci!

— Regarde-moé pas comme ça, j'irai certainement pas te l'chercher.

Jean alla prendre une canette dans le frigo. Rien n'était simple, ici. Arthur n'avait cessé de le fixer, sourire en coin. Il attendait qu'il prenne sa première gorgée.

— Pis, y est-tu à ton goût?

— Y est parfait. Parfait, parfait, parfait.

— Ben heureux d'entendre ça!

Il souriait trop, c'était louche.

— Maintenant, détends-toé pis écoute ben l'histoire que j'ai à t'conter.

Jean se sentit kidnappé.

Arthur saisit d'un geste rapide, à la Clint Eastwood, un objet qui pendait le long de sa cuisse, puis le déposa bruyamment sur la table.

— C'est quoi, ça? demanda-t-il à Jean.

— Une lampe de poche.

— Ouais! Pis quoi d'autre?

— C'est une très longue lampe de poche.

— Tu t'rapproches, mais c'est pas encore ça.

— C'est une longue lampe de poche noire d'à peu près quarante centimètres…

— C'est ma meilleure amie.

— …

— A va m'défendre si chus en danger. Pis heureusement qu'je l'ai, parce que comme gardien de sécurité, j'ai pas l'droit de porter une arme. Pas de pistolet, même pas une matraque.

— Ben j'espère, lâcha Jean sans réfléchir.

— Comment ça «j'espère»? Quessé qu'tu ferais toé, le smatte, si un voleur t'attaquait? Tu l'supplierais de pas t'faire trop mal?

— Non. J'appellerais la vraie police. Je jouerais pas au héros.

— On voit ben qu't'as jamais fait face au danger… Moé, ça m'arrive quasiment à chaque jour.

Jean décida de laisser passer l'énormité. Arthur poursuivit sur sa lancée.

— Dans c'temps-là, t'as pas l'temps d'réfléchir, t'as pas un million d'options: soit tu frappes, soit tu t'fais frapper. Pis j'ai pour mon dire qu'y vaut mieux frapper en premier!

— OK. Pis si tu t'trompes de gars pis que tu frappes n'importe qui?

— Au moins, ça sera pas moé qui vas se retrouver sur une civière à l'hôpital.

Sa logique lui semblait implacable. Jean n'avait pas envie de s'y attaquer.

— Tu vas-tu finir par nous dire c'qui s'est passé? Accouche, qu'on baptise! garrocha de son coin Manon, qu'ils avaient presque oubliée.

La patience n'était pas sa plus grande vertu. Elle s'ouvrit une autre bière avec brusquerie tout en s'allumant une énième cigarette, qu'elle achetait par milliers aux abords d'une réserve amérindienne.

Arthur prenait un malin plaisir à faire durer l'attente. Il termina son assiette et fut desservi par sa femme, qui le traitait comme un pacha. Il était enfin prêt à raconter son récit.

— Y en a qui m'ont dit hier matin qu'la ville était fermée, qu'les voleurs se r'posaient, qu'y avait rien à craindre, que j'm'énervais pour rien. Ben ce monde-là, y s'trompaient, pis pas à peu près !

— Tu t'es-tu battu ? s'alarma Manon, sautant aux conclusions.

— Y a eu un peu de t'ça, ouais…

— Comment ça ? T'es-tu correct ? poursuivit-elle, soudainement inquiète.

Il était gonflé de fierté.

— Une chose à'fois. J'vas commencer par le début. Ouvrez ben grandes vos oreilles, c'pas banal comme aventure ! Manon, tu m'donnerais-tu une bière ?

Elle déposa sa cigarette sur le bord d'un cendrier multicolore, souvenir de Floride, où s'étalaient des palmiers, des perroquets et des orangers lustrés, puis déboucha une bière qu'elle tendit à son mari assoiffé. Marie entra discrètement dans la pièce, les yeux rougis, et prit place à côté de son fils.

— Écœurant, ton pâté chinois, Marie !

Elle sourit tristement.

Arthur se lança :

— Cette semaine, notre job, c'est d'surveiller des entrepôts qui s'trouvent dans l'nord d'la ville, dans un quartier qui est contrôlé par les gangs de rue. Y a toutes sortes d'affaires dans ces entrepôts-là pis d'ins dernières semaines, y a eu plusieurs gros vols, surtout d'appareils électroniques : des TV, des radios, des lecteurs VHS, tsé, des affaires qui se r'vendent facilement su'l'marché noir. Toute ça appartient à des magasins à grande surface qui étaient tannés de s'faire niaiser, faque y ont décidé de changer d'compagnie d'sécurité. Y ont appelé mon boss. C'est un sacrament de gros contrat. D'ins cinq, six chiffres, tsé... Pis lui, mon boss, ben y est bright en crisse, faque y a décidé de pas engager des gars du quartier. Tu peux juste pas les truster. Dans ce coin-là, c'est tellement infesté d'vermine qu'y a pas moyen de recruter quèqu'un qui est pas lié de proche ou de loin à une gang de rue. Y m'a callé, pis j'ai pagé mon bon chum Charette. Le dream team était de nouveau réuni. Le boss, y dit qu'on est ses deux plus malades dans'tête pis qu'y était certain qu'on relèverait l'défi. Charette, y pèse à peu près trois cents livres, y mesure six pieds quatre. C't'un vrai monstre. Hein, Manon ?

— Toute qu'une armoire à glace !

— Y court pas vite, mais y fesse en crisse ! Courir, c'est plus ma job à moé. Chus l'spotter pis lui y est l'bouncer. C'pas des jokes : y était vraiment bouncer avant. J'l'ai connu d'ins clubs. Quand y s'décidait à sortir quèqu'un, y l'sortait, pis pas à moitié. Hein, Manon ?

— Jamais vu du monde r'voler d'même !

Arthur rit par saccades, l'œil alerte, en lissant sa mince moustache et en repensant au bon vieux temps.

— En tou'es cas… On se r'trouve là à 7 h du matin, décidés en crisse qu'les vols, ben, c'tait terminé. On est chacun dans nos chars, lui dans sa Pontiac Grand Am rouge, pis moé dans ma Crown Victoria blanche, tsé, drette le même modèle qu'les chars de police, pis on communique par walkie-talkie. On a aussi chacun un bat de baseball en aluminium, juste au cas. J'peux-tu t'dire une affaire : on est full équip' ! Si jamais ça vient à brasser, on est prêts en sacrament. Des vrais pros !

Il prit une gorgée de bière, puis lança un regard intense à ses spectateurs, pour s'assurer qu'il avait bien toute leur attention. Ils étaient rivés à ses paroles. Il enchaîna :

— Toute allait ben. On avait pris l'relais de deux autres bons jacks qui avaient rien r'marqué d'la nuitte. Mais j'avais un feeling, tsé. J'sentais que quèqu'chose allait mal virer. Chus sorti du char, j'ai fait l'tour des entrepôts à pied : rien à signaler, à part que l'maudit verglas continuait d'tomber pis qu'y était gossant en ciboire. En r'venant, j'me suis aperçu que l'gros Charette était en train d'dormir. Tabarnak ! Si tu peux pus t'fier su'ton partner, t'es dans marde en sacrament dans c'te métier-là ! Faque j'ai décidé d'y donner une p'tite leçon. Chus ben gros connu pour ça. Chus allé en arrière d'son char, pis j'ai grimpé tout doucement su'l'toit. Y avait d'la glace, c'tait pas évident. Mais avec mes crampons, j'ai réussi. Y dormait ben dur, l'gros ! Ronflait pis toute. C'tait juste si l'char roulait pas tu seul tellement ça vibrait là-d'dans. J'me suis levé, j'ai descendu ma fly pis j'ai commencé à pisser su'son windshield. Câlisse que j'riais!

— Gros colon!

— Ta gueule, Manon, t'aurais ri toé aussi!

Marie et Manon grimaçaient plus qu'elles ne riaient. Arthur était visiblement excité de voir sa sœur et sa femme choquées. Jean, malgré ses réserves du début, commençait à trouver son histoire plutôt divertissante.

— J'sais pas si c'est ma pisse ou mes rires qui l'ont réveillé, mais v'là-tu pas que l'char commence à brasser: c'tait Charette qui grouillait, pis quand ça grouille ces affaires-là, ça déplace de l'air, pis pas à peu près…

Arthur se leva, hilare, et singea son déséquilibre du matin.

— Y ouvre sa porte de char, pis y comprend qu'la pluie jaune a tombait pas du ciel, mais qu'a sortait d'ma graine…

Il avait de la difficulté à parler tellement il riait, de ce petit rire nerveux si distinctif qui pétaradait dans la cuisine.

Il avait ce don d'ajouter des détails drôles et croustillants à ses anecdotes qui, sinon, étaient plutôt anodines. Manon avait surmonté le choc initial et riait maintenant de bon cœur. Même Marie s'extirpa quelque peu de son inquiétude et se laissa prendre au jeu.

— L'gros Charette, tabarnak, j'ai juste eu l'temps de r'fermer ma fly qu'y m'prenait par la taille pis qu'y m'lançait dans un banc d'neige à au moins dix pieds…

Pendant une coup'de secondes, j'ai volé comme Superman! Au moins, j'l'avais réveillé, c'tait l'essentiel… Pis y avait appris sa leçon, j'peux vous en passer un papier.

Il essuya les larmes qui coulaient sur son visage.

— Ostie qu'on s'en joue des tours dans l'milieu d'la sécurité…

— C'est juste ça, ton histoire? demanda Manon, un peu déçue.

— Ben non, ben non, énarve-toé pas, j'fais juste commencer…

Il avala une gorgée de bière en regardant sa femme avec agacement. Fallait arrêter de lui couper l'inspiration. Elle comprit et il continua:

— Faque une coup'd'heures ont passé. On avait dîné pis toute, sans bouger de d'vant les entrepôts, évidemment. Parce que tsé, mon Johnny Boy, ç'a l'air facile comme ça, être gardien d'sécurité, mais tu peux pas te permettre de quitter des yeux, même pendant une seconde, c'que tu surveilles. Ça s'appelle du professionnalisme.

— Tu viens pas juste de dire que vous arrêtez pas de vous jouer des tours?

Il regarda son neveu comme si c'était le dernier des imbéciles.

— C'est pas pantoute la même affaire, là… Ciboire que tu mélanges toute! On est des pros nous autres, on connaît les limites du métier. Quand t'es un vrai de vrai professionnel pis qu'tu fais ça depuis des années comme moé, tu peux t'permettre de faire une p'tite joke une fois d'temps en temps. Mais toé mettons, j'te mets dans un spot, ben t'es mieux de te t'nir drette en crisse pis d'checker tes affaires, parc'sinon tu vas mettre la vie de tes partners en danger pis tu vas t'faire crisser dehors drette là.

Il claqua des doigts pour ajouter du tonus à son argument, puis se rapprocha le plus près possible de son neveu. Son regard était aiguisé et ses yeux visaient le fond de la tête de l'adolescent. Marie n'aimait pas la tournure des événements. Elle entoura son fils des bras. Arthur comprit et recula dans sa chaise. Il fit comme si de rien n'était et poursuivit :

— Ça joue salaud dans c'milieu-là. Faut être fait dur pour durer. C'pas donné à tout l'monde… Toé par exemple, pas sûr que tu tofferais plus que cinq minutes. Pas sûr pantoute, même : t'aurais ben qu'trop la chienne…

— Ça tombe bien, j'ai d'autres ambitions, répliqua Jean du tac au tac.

— C'est mieux d'même. C'pas pour tout l'monde. Y faut avoir la vocation.

— Dommage…

Arthur le regarda de côté, se demandant s'il était sincère ou ironique.

— En tou'es cas… Y s'était rien passé d'la journée, mais j'pouvais pas m'débarrasser d'mon pressentiment, j'pouvais pas faire autrement que d'sentir qu'y avait quèqu'chose qui s'préparait. J'ai dit à Charette :

« Reste su'tes gardes, l'gros, j'ai pas un bon feeling…
Si y frappent, y vont frapper vite pis bientôt. » C'est ça
qu'ça fait un bon chef d'équipe : ça garde son monde
alerte ! Chus ben gros respecté pour ça dans l'milieu.
Pis ces rapaces de gangs de rue, j'l'ai lu dans l'*Journal*, y frappent toujours à'noirceur. Pis là, ben, l'soleil
commençait justement à s'coucher. J'ai allumé mes
lumières, pis j'ai callé : « Code 66, 10-4 » à Charette
pour qu'y les ouvre itou.

— Vous avez des codes en plus…

Jean fit mine d'être impressionné.

— Les mêmes que dans'police. On partage ben
des affaires, tsé. On est ben gros respectés par la police
itou. Y peuvent pas toute faire. Y savent qu'on est du
même bord. Du bon bord ! Y en a même qui disent
qu'on a une job ben plus dangereuse qu'eux autres,
vu qu'on a pas d'gun pis qu'on combat les mêmes cri-
minels. Ç'a pas d'maudit bon sens quand tu y penses
deux secondes… On devrait toute avoir des guns. On
est en guerre, après toute. Pis les crottés, là, ceux des
gangs, y l'savent ben qu'trop qu'on est vulnérables
de c'bord-là. Y sont pas caves. En tou'es cas… Faque
la nuit s'installait, y faisait noir, pis pas à peu près.
Les lampadaires prenaient du temps à s'allumer dans
l'stationnement. C'pas mêlant, on voyait rien vingt
pieds en avant. J'sais pas c'qui s'passait, mais c'tait
louche en crisse. Ma théorie, c'est qu'y avaient coupé
les fils exprès pour pas qu'on les voye arriver… J'étais
alerte en chien. J'tenais ma lampe de poche ben serrée

dans mes mains, prêt à sortir pis à fesser dans l'tas si y fallait. L'gros Charette, lui, arrêtait pas d'taper son bat de baseball dans sa grosse main. Y fait ça tout l'temps quand y sent qu'on va s'battre. Ça l'met dans l'mood.

— J'me rappelle, confirma Manon. C'est toute qu'un gorille c'te maususse-là! Y nous a souvent sauvé les fesses quand ça brassait trop d'ins clubs.

— Méchant bon gars pareil!

Manon et Arthur semblèrent léviter, envahis par une soudaine poussée de nostalgie. Manon, inspirée, se servit une nouvelle bière. Elle maintenait la cadence. Arthur se désaltéra aussi, puis reprit son récit où il l'avait laissé :

— La tension était palpable d'ins environs. C't'à c't'heure-là qu'avaient eu lieu les autres vols. On pesait su'a suce de nos chars chacun notre tour, pour faire du bruit pis leu'faire peur… Pis tout d'un coup, j'ai vu quèqu'chose bouger au loin. J'ai callé l'gros Charette : «Code 06, l'gros, code 06, 10-4.» J'ai mis mon bat d'aluminium pis ma lampe de poche su'l'siège à côté, pis j'ai agrippé mon volant à deux mains : j'étais prêt à foncer si y fallait. J'avais la patate qui pompait en batinse.

Il mimait sa position dans la voiture, plissait les yeux et regardait au loin. Marie, Manon et Jean se sentaient transportés en plein stationnement. Aucun effet n'était ménagé pour reconstituer les événements dans les moindres détails.

— J'arrêtais pas d'penser à quel point mon boss avait mis toute sa confiance en moé pis à quel point y fallait pas que j'le déçoive. Ç'aurait été trop pour lui. Chus comme son fils. Y aurait pas été capable de l'prendre… J'étais décidé : personne allait toucher à une poignée des entrepôts ! Oh que non ! Pas tant qu'Arthur Tétreault était en charge, tabarnak ! C'tait mal me connaître en ostie !

Il cogna sa bière sur la table pour mieux souligner sa dernière affirmation ; la broue monta en flèche et déborda rapidement du goulot. Il y en avait partout sur la table. Marie et Manon s'amenèrent d'urgence, chiffon en main, prêtes à intervenir. Arthur avait mal calculé son dernier geste et n'appréciait visiblement pas la tournure des événements : il avait perdu le contrôle et la scène versait dans le vaudeville. C'en fut trop quand Manon mouilla le bout de sa guenille de sa salive et frotta vigoureusement la chemise d'Arthur, sur laquelle quelques gouttes de Wildcat étaient tombées. La honte ! Décontenancé, touché au cœur même de son orgueil, il la repoussa vivement.

— OK, OK, ça va, c'pas de l'acide !

Manon retourna se perdre dans sa fumée, tandis que Marie terminait d'essuyer le dégât. Arthur retrouva sa contenance, puis continua comme si rien ne s'était passé :

— Comme j'vous disais avant d'être dérangé : une ombre est apparue, sortie de nulle part, juste derrière l'entrepôt numéro 5, celui qui est bourré à ras bord de TV dernier cri. Pis une deuxième, ostie, qui s'approchait aussi d'la porte pis du stock. Moé pis l'gros Charette on pesait à répétition su'l'gaz pour marquer notre territoire, mais ces gars-là, on dirait qu'le danger ça les attire. Y ont peur de rien pis y continuaient à avancer comme si on était pas là... Y fallait passer à la deuxième étape, pas l'choix, on était rendus là. C'tait ma réputation qui était en jeu ! Tu comprends-tu c'que j'te dis, mon Johnny Boy ?

Jean lui signifia qu'il n'oublierait pas la leçon. Arthur sembla satisfait de sa réaction et enchaîna :

— Faque j'ai callé la shot à Charette : « Code 33, j'y vas ! » J'ai pesé su'l'champignon de toutes mes forces pis j'ai foncé vers eux autres avec mon char. La vie, c't'une jungle, pis c'est les plus vites pis les plus forts qui survivent. Moé les questions, j'laisse ça aux pousseux d'crayons !

Il hochait de la tête pour démontrer qu'il ne pouvait être plus d'accord avec sa propre affirmation.

Arthur prit une gorgée de bière, puis plus rien. Que les regards en attente et le bruit de la hotte qui aspirait la fumée de cigarette. Il avait ainsi mis fin à son histoire, d'un coup sec, par une morale anti-intellectuelle simpliste.

— Ben là, Ti-Thur, tu nous racontes pas comment ça s'est terminé ? T'es as-tu frappés ou non, les voleurs ? Qu'est-ce qui s'est passé ?

Marie avait les bras levés et des points d'interrogation dans les yeux.

— Ah, ben non, ben non… C'tait juste nos backups qui s'en v'naient prendre nos places. Y faisaient l'tour à pied pour s'assurer que toute était OK. Ostie qu'y ont failli y passer !

Il ne pouvait plus s'arrêter de rire. Marie en avait la mâchoire décrochée.

— Attends un peu, là… Tu veux dire que les deux gars sur qui tu fonçais, c'étaient des gardiens de sécurité ?

Arthur semblait au-dessus de ses affaires.

— Ben oui, des méchants amateurs, ostie, ça s'fait pas, ça, arriver à pied sur un lieu de surveillance ! J'peux-tu t'dire que j'l'ai noté dans mon rapport pis qu'mon boss va leu'passer un savon…

— Mais les as-tu tués ou quoi ? s'inquiéta Manon.

— Ben non, ben non. Y ont sauté su'l'côté, mais juste à temps par exemple, parce que j'leu'fonçais drette dessus. J'étais en plein su'l'target.

— Mais t'es complètement malade !

Marie était particulièrement choquée, ce qui fit s'esclaffer Arthur encore plus fort.

— Relaxe, p'tite sœur. C'tait plus drôle qu'autre chose. Pis c'est les risques du métier, tsé. On sait toute dans quoi on s'embarque quand on enfile l'uniforme. Même eux y riaient à'fin. Pas su'l'coup, là, mais après, tsé, après coup, une heure après, mettons. Maintenant, c'est rendu une grosse joke dans l'équipe. On va tellement les niaiser avec ça au party d'fin d'année, tu peux compter su'moé. Ostie que j'en manque pas une! C'est bon pour le team spirit, ces affaires-là...

Ils étaient bouche bée. Arthur riait, fier de son histoire. Il se leva pour se verser un verre d'eau, en vain.

— Y a pus d'eau?

— Ç'a coupé y a quèques heures.

— Sacrament... Ça va mal à'shop! Qu'est-ce qu'y font, les ostie d'fonctionnaires? Y m'semble que c'est pas si compliqué qu'ça faire aller de l'eau d'ins tuyaux? Ça paraît qu'c'est l'gouvernement qui est en charge... Ostie d'gang d'incompétents! Donne ça au privé pis y vont toute régler c'te nuitte...

Il continua de se défouler sur les incapables et les fainéants qui n'en faisaient jamais assez à son goût. Manon et Marie tentaient de le calmer lorsque le téléphone sonna. Marie se précipita sur le combiné dans l'entrée. Jean la suivit.

— Allô?

Elle laissa échapper un grand soupir de soulagement et ses traits se détendirent d'un coup.

— Mon amour! T'es encore vivant! J'suis tellement heureuse d'entendre ta voix.

Toute la maisonnée l'entourait. Elle fit signe à sa famille que Louis était sain et sauf.

— T'es où? Qu'est-ce que tu fais? Pourquoi c'est si long?

Louis avait la voix fatiguée.

— Je t'expliquerai quand je vais passer plus tard ce soir, ou, au pire, demain matin.

Marie se mit à trembler. Jean se crispa : il n'aimait pas voir sa mère dans un tel état. Ça n'augurait jamais rien de bon.

— Comment ça, tu vas « passer » ? Qu'est-ce que tu veux dire ?

— J'resterai pas longtemps.

— Quoi ? Mais pourquoi ? Tu dois retourner à la maison ?

— Non. C'est compliqué. J'peux pas t'expliquer ça au téléphone, mais j'suis pas loin, inquiète-toi pas. Et j'vais rapporter des provisions.

Le visage de Marie devint livide. Elle s'écrasa de tout son poids sur une chaise. Le ton de sa voix changea, perdit toute force.

— J'comprends pas ce que tu dis. J'comprends pas…

— Faut que j'te laisse, Marie.

— Pourquoi tu m'appelles Marie, tout d'un coup ?

— À plus tard.

Louis n'était plus au bout du fil.

Elle raccrocha, atterrée, fixant le tapis.

Irène prit son visage entre ses mains et le releva.

— Qu'est-ce qui se passe ?

— J'sais pas. Y a dit qu'y m'expliquerait plus tard.

— Y va bien ? Y est rien arrivé ?

— Non. Y est pas loin pis y va ramener des provisions…

— Bon, ben le reste, c'est secondaire. Tout est bien qui finit bien ! Y a pus rien à voir ici.

Arthur, Manon et Irène allèrent rejoindre leurs télévisions.

Jean prit la main de sa mère sans rien ajouter. Elle le regarda, tenta de le rassurer, mais son sourire refusait de prendre forme.

— Qu'est-ce qui se passe, maman ?

— J'sais pas, Jean, j'sais pas, mais j'ai peur. J'ai jamais eu aussi peur de toute ma vie.

Marie se blottit dans ses bras et frissonna contre lui. Mais elle ne pleura pas. Il avait l'impression de tenir une enfant, et que sa mère était en train de flancher de nouveau, de retomber dans la noirceur. C'était au tour de Jean d'avoir peur.

Il la serra et lui flatta le dos.

Ils restèrent ainsi un long moment, dans une chaleur commune, à se protéger contre les menaces invisibles qui tournoyaient autour d'eux comme des requins excités par l'odeur du sang.

La maison était silencieuse, ses habitants, endormis. Jean n'avait pas sommeil et terminait de lire sa troisième bande dessinée de la soirée lorsque des bruits lui parvinrent du sous-sol: c'était la porte du garage qui s'ouvrait.

Il se leva et se rendit au salon, où sa mère était plongée dans un sommeil médicamenté, un masque protégeant ses yeux de la lumière du monde.

— Maman? Maman?

Il la secoua tendrement.

— Papa est ici. Faut que tu te lèves.

Elle finit par revenir à la vie. Péniblement. Confuse.

Marie ne pouvait dormir sans somnifère depuis des années. Elle frôlait maintenant la dose maximale, qui la plongeait dans un repos sans rêves ni angoisses. Jean l'avait souvent vue dans un tel état d'égarement. Il savait que ça passerait. Que soudainement, elle s'en extirperait et qu'elle reviendrait à elle. C'est ainsi que commençait chacun de ses matins. Mais jamais elle ne se réveillait en pleine nuit.

Les paupières de Marie étaient terriblement lourdes.

— Papa est là, y est en bas.

Jean tenta de la redresser pour qu'elle s'assoie, le temps de se réveiller complètement, mais son corps était mou et glissait entre ses mains.

Au sous-sol, des portes s'ouvraient et se refermaient. Jean regarda nerveusement en direction du corridor ; il ne voulait surtout pas que quelqu'un vienne les retrouver. Ça ne les concernait pas. Puis ce serait humiliant pour sa mère, et pour lui. Il sentit son estomac se nouer, pressentit qu'il y aurait un avant et un après, qu'il vivait un moment charnière de son existence.

Marie était incapable de sortir des brumes du sommeil. C'était au-dessus de ses forces. Il la recoucha. Elle gémit en tendant le bras vers son fils.

— C'est rien, maman, rendors-toi.

Il replaça son masque de nuit sur ses yeux et recouvrit son corps de couvertures. Puis il déposa un doux baiser sur son front.

Il prit une grande respiration et alla faire face à son destin.

*

Louis déchargeait la voiture, empilait les vivres dans le sous-sol. Tout ce qui avait été promis s'y trouvait : d'énormes bouteilles d'eau, des conserves en grande quantité, des piles, des chandelles, même de la bière. Le trésor semblait excessif.

En posant son pied sur la dernière marche de l'escalier en colimaçon, Jean provoqua un craquement. Son père sursauta.

— Ah, Jean, c'est toi! dit-il en se retournant. Tu m'as fait peur.

Il semblait surpris en flagrant délit.

— J'peux t'aider?

— Merci, mais c'est la dernière boîte.

Ils restèrent face à face, à se dévisager, pendant de nombreuses secondes. Puis Louis brisa le silence:

— Tu pourrais aller chercher ta mère, s'il te plaît?

— J'ai essayé de la réveiller, mais elle est complètement sonnée.

— Tu sais si elle a pris une double dose de son somnifère?

— J'sais pas, mais elle viendra pas.

Louis n'avait pas prévu faire ainsi face à son fils.

— Tu peux lui faire un message?

— Tu t'en vas?

— Euh... Oui...

Des larmes montèrent aux yeux de Jean et brouillèrent son regard. En une fraction de seconde, il avait tout saisi, sans vraiment comprendre.

— Viens dans mes bras, le supplia Louis.

Jean ne bougea pas. son père franchit les quelques pas qui les séparaient et serra le corps frêle et secoué de pleurs de son fils.

Jean était dans un rare état d'abandon. Les contacts physiques entre eux étaient inhabituels, ce qui magnifiait d'autant plus la rencontre.

— Tu veux que j'te dise la vérité ?

Jean hocha la tête.

— J'te dois au moins ça… Mais avant, j'veux te dire que je t'aime et que je t'aimerai toujours. Tu comprends ?

Jean se détacha de son emprise.

— Ta mère aussi je l'aime et je l'aimerai toujours. Seulement, j'étouffe, j'étouffe avec elle. C'était pas comme ça au début. C'était pas comme ça jusqu'à ses dépressions à répétition. J'ai longtemps espéré que les médicaments l'aideraient à reprendre le dessus, mais ç'a fait qu'empirer les choses…

Jean le regarda et lui lança sans détour :

— Tu nous quittes en pleine crise du verglas ?

C'était au tour de Louis d'avoir les yeux pleins d'eau.

Jean sentait une colère sourde et profonde inonder son cerveau.

— J'ai un fils, un autre fils. Il a six mois. Il a besoin de moi. Il est fragile, malade, pis la situation est dangereuse pour lui. Sa mère aussi a besoin de moi. Toi, t'es grand maintenant. Tu peux passer à travers.

Les mots s'empilaient dans la tête de Jean, mais refusaient de sortir. Pourquoi ? Pourquoi leur faire subir cela ? Ici et maintenant ? C'était injuste et cruel. Il serra les poings, sentit ses ongles percer la peau de ses paumes.

— J'comprends que tu m'en veuilles, dit Louis. Parfaitement. Tu me pardonneras peut-être, un jour.

Il se retourna et monta dans sa Mercedes.

Entre les éclairs de colère, le visage de Marie émergea dans l'esprit de Jean.

— Et maman, elle a pas besoin de toi ? cria-t-il.

Louis ne répondit pas, sortit du garage et se fondit dans la nuit, sans salut ni au revoir.

*

Jean referma la porte du garage le plus discrètement possible. Il avait honte. Pour lui, et pour sa mère. Comme s'il pouvait être tenu responsable de ce désastre.

Il ne désirait plus qu'une chose : dormir. Oublier. Fuir. Ç'aurait été le moment parfait pour explorer les secrets que contenait le sous-sol, mais la peur s'était emparée de lui : il avait l'impression de marcher sur les lieux d'un quelconque crime.

Il remonta les marches sur la pointe des pieds, sans manquer de remarquer au passage qu'un trousseau de clés brillait dans une cavité mal dissimulée sur le côté de l'escalier.

JOUR 4
10 janvier 1998

Les rayons de soleil festoyaient sur sa peau. Les poissons multicolores frôlaient son corps, submergé par un bien-être comme il n'en avait jamais ressenti. Il regarda au loin, attiré par une lumière rougeâtre qui brillait au fond de la mer. Il donna un premier coup de palme, puis un second, et les enchaîna à toute allure, s'éloignant rapidement de la surface. Il accéléra la descente, hypnotisé par l'aura scintillante qui se réverbérait partout dans ce théâtre sous-marin, colorant sa peau de ses reflets chatoyants. Qu'est-ce qui se trouvait au fond de l'eau ? Quel trésor lui insufflait ce bonheur et cette énergie nouvelle ? Jean souriait, épanoui, libéré d'un poids ancestral, gonflé d'espoir. Il tendit la main vers l'avant, puis tout le corps ; voulut, plus que toute autre chose dans son existence, pénétrer dans cette étoile rouge des profondeurs, entrer en elle, quitter le monde ancien et disparaître dans sa sensualité et sa chaleur…

— Est r'venue !

… Plus il approchait et plus son corps vibrait, envahi par ses caresses qui l'appelaient, l'attiraient dans ses rayons de volupté ; il était si proche maintenant, enfin à portée, il allait fusionner…

— Réveillez-vous! Réveillez-vous!

… mais quelque chose l'aspira soudainement vers la surface, le froid et la terre ferme qu'il tentait de quitter…

— Est r'venue! Est r'venue!

… Il luttait de toutes ses forces, mais la mer disparaissait autour de lui dans un grand remous impétueux, qui emportait les poissons-perroquets et les poissons-lunes, les coraux multicolores et les algues dansantes. Tout était englouti dans un immense trou noir qui avala jusqu'à son corps.

La porte de la chambre de Jean s'ouvrit dans un violent fracas. Il bondit comme un ressort mécanique.

— Eille, le fainéant! Réveille-toé! L'eau est r'venue. L'eau est r'venue!

Manon assassinait de nouveau ses rêves, l'extirpait de son paradis perdu pour le rappeler brutalement à sa réalité de réfugié.

Elle ouvrit la porte de la chambre d'Irène et hurla dans la noirceur de la pièce:

— Madame Tétreault, v'nez voir, l'eau coule! On est sauvés, l'eau a r'commencé à couler!

Jean l'entendait de loin crier comme une hystérique, comme une mystique frappée d'apparitions à répétition.

— On est sauvés! On est sauvés!

Irène se demandait probablement, comme Jean, de quoi exactement ils étaient sauvés. De la soif? Ils avaient de quoi boire. De la mort? Elle ne pointait pas encore. De cet enfer familial qui leur rappelait constamment, du matin au soir, à quel point ils étaient différents ? Mais ils étaient encore prisonniers des éléments. Il n'y avait plus qu'un constat possible : ils n'éprouvaient aucun amour les uns pour les autres, la cohabitation était pénible, voire impossible, et ils se rapprochaient inéluctablement de l'explosion.

— Pour l'amour ! C'est quoi tout ce tapage, encore ?

Irène, en jaquette, émergea de sa chambre, les cheveux en bataille, les yeux petits, les deux bras tendus, avançant à tâtons dans le corridor dont elle ne percevait qu'approximativement, pour l'instant, les contours.

— Madame Tétreault, l'eau, c'est vrai, est r'venue !

— Ben oui, j'pense qu'on a compris, là, on a compris.

Jean resta dans son lit, appuyé sur ses coudes. Il sentit la colère irriguer son corps entier, monter vers son cerveau de plus en plus stimulé par une haine profonde, bombardé d'images de violence et de destruction qu'il avait peine à censurer.

Ses mains et ses orteils agrippèrent le drap de toutes leurs forces. Sa mâchoire serrée crispait tous les muscles de son visage. Il se sentait attaqué au plus profond de son intimité et il allait défendre son territoire comme une bête traquée.

Manon parcourut toutes les pièces de la maison pour propager la bonne nouvelle comme d'autres auraient appelé les fusillés. Elle les réveilla tous.

Jean tourna la tête et vit j'heure : 6 h 15. Quelque chose se libéra. Une bombe détona. Le matelas qui le soutenait gronda. Il se leva d'un bond et traversa le corridor en quelques enjambées. Elle était là, l'air bête, en pyjama à motifs de guépard, à tapoter l'eau du bout des doigts, hypnotisée par sa présence. Autour de l'évier, les sinistrés se regardaient, endormis, se demandant encore ce qui justifiait un tel boucan, ce qui pressait tant. Jean éclata à cinq centimètres du visage de sa tante :

— Eille, crisse de folle ! C'est quoi, ton ostie de problème ? Pourquoi tu nous réveilles à 6 h du matin ? Déjà qu'on endure tes ostie de remarques désagréables à longueur de journée, crisse-nous patience le matin, le midi, le soir ! Parle-nous pus pis prends ton câlisse de trou !

Il lui cracha des insultes, excédé, dépassé par les intrusions répétées de son oncle et de sa tante qui faisaient tout en leur pouvoir pour empoisonner leur séjour, le sien en particulier. C'était à cause d'eux que son père avait fui. Elle allait payer pour tous les autres.

Tout le monde était saisi. Mais ni Marie ni Irène n'eurent la moindre réaction pour le retenir. Jean sentit qu'il parlait en leurs noms également. Manon ne respirait plus, la main toujours tendue sous l'eau, pointant le miracle du doigt. Jean hurla de nouveau :

— TABARNAK !

Le stress des dernières journées, le mépris ressenti, le désespoir, l'épuisement, l'abandon, la haine de son propre sang, de cette famille éloignée débile et méchante : c'était toute cette accumulation qui sortait de sa bouche en éruption. Il allongea le bras, pointa son index entre les deux yeux de sa tante et la fusilla du regard.

— Si tu me déranges une autre fois avec ton crisse d'air bête, j'garantis pus rien !

Manon tremblait.

Jean tourna les talons et alla s'enfermer dans sa chambre, en claquant la porte derrière lui.

Personne ne vint voir Jean de la matinée. Il ne réussit pas à se rendormir, mais au moins, il avait regagné sa solitude. Il lui était impossible de passer plusieurs jours sans s'y plonger. Complètement. Pour se retrouver. Sans ce nécessaire refuge, il se sentait perdu dans la cacophonie de la société. Il avait eu des instants à lui, depuis son arrivée, mais de sentir qu'à n'importe quel moment, sans aucun remords, Manon ou Arthur pouvaient pénétrer dans la chambre qu'on lui avait assignée augmentait son sentiment d'être assiégé. Ce n'était plus possible. Qu'on vienne le chercher quand tout serait réglé. D'ici là, il resterait barricadé.

*

On cogna trois petits coups à sa porte. Sans s'en rendre compte, il s'était finalement assoupi. Plus aucune musique ne jouait dans ses écouteurs.

— Ti-Jean, c'est grand-maman. T'es réveillé ?

— Ça s'en vient…

— Prends ton temps. Quand tu seras prêt, tu viendras dans mon boudoir. J'vais te préparer un bon dîner. On va manger tranquilles, la porte fermée, pour pas être dérangés, pis on va jaser.

Irène savait comment le prendre. Il leva son état de siège.

— Ça sera pas long.

Il était près de 1 h de l'après-midi et la maison baignait dans un silence surprenant. Jean alla s'asperger le visage dans la salle de bain, puis se dépêcha d'aller retrouver sa mère. Il n'avait pas eu le temps, ou le courage, de lui avouer avoir vu son père la veille. Mais une fois arrivé dans le salon plongé dans la pénombre, les rideaux fermés, il comprit que Marie avait décidé de retourner au pays de Morphée, où plus rien ne l'atteignait. Elle fuyait. La réalité. La finalité de la situation.

Jean se pencha au-dessus d'elle, caressa ses fins cheveux, écouta son souffle doux, lent, aller et venir dans son corps abandonné au repos médicamenté : elle avait l'air d'une enfant. Fragile, mais belle.

Son père étant allé rejoindre une autre famille, celle qu'il avait choisie, sa vraie famille désormais, celle qu'il avait décidé de protéger en ces temps menaçants, c'était maintenant à Jean de s'occuper de sa mère, de la rassurer, de l'accompagner, de la protéger. Mais de quoi exactement ? Des éléments ? Des médicaments ? De ses sentiments ? D'elle-même ? Était-il possible de protéger quelqu'un de lui-même ?

Jean regarda sa mère une dernière fois, son corps inerte, son esprit barricadé dans sa prison dorée, puis ressentit malgré lui un profond sentiment de mépris.

Il se leva, incapable de la détester, mais enragé tout de même par tant de mollesse. Ce n'était pas à lui d'être l'adulte ici, ce n'était pas à lui de tout régler. C'était trop. Tous ces fuyards qui se complaisaient dans leurs névroses, ça devenait trop intense, trop compliqué pour lui.

Des coups retentirent : on cognait à la porte d'entrée.

Jean détourna le regard du corps inanimé de sa mère, puis alla ouvrir. Sur le perron, un homme baraqué portant un imperméable foncé bloquait l'horizon.

— Bonjour, jeune homme. J'voudrais parler à Arthur Tétreault, s'il te plaît.

— Y est pas ici.

— Y habite bien ici ?

— Oui, mais y travaille. Y devrait revenir vers l'heure du souper.

— T'es son fils ?

— Son neveu. On est ici parce qu'on a plus d'électricité chez nous.

— C'est pas facile, j'suis dans la même situation.

— …

— Ton p'tit nom, c'est quoi ?

— Jean.

— Ah, comme mon collègue ! Enchanté, Jean.

— Et vous, vous êtes qui ?

— Enquêteur Papineau. Y a-tu un adulte dans la maison ?

— Non, j'suis seul. Mes parents sont partis chercher de la nourriture.

— Est-ce que tu seras ici quand ton oncle reviendra ?

— Oui.

— Si j'te laisse ma carte, peux-tu lui donner et lui demander de m'appeler le plus vite possible ?

— Oui.

— Merci beaucoup, Jean.

— Y s'est passé quelque chose de grave ?

— Non, non, une simple formalité. Mais c'est très important que tu lui donnes, OK ?

— OK.

— Bonne chance pour l'électricité.

— Merci.

Le policier partit. Jean referma la porte en glissant la carte dans sa poche. Il eut soudain l'impression de détenir quelque chose qui pourrait lui être utile dans sa quête de liberté.

Dans le boudoir, casque d'écoute aux oreilles, Irène regardait des reprises de son émission préférée: *Les belles histoires des pays d'en haut*. Rien, selon elle, n'avait depuis égalé la qualité de cette production. Et par qualité, évidemment, elle faisait référence à celle du français pour le moins ampoulé des dialogues. Jean doutait fortement que les premiers colons s'étaient exprimés à l'aide de phrases aussi bien construites et avaient détenu un vocabulaire aussi précis. Mais peu importe, il y avait des curés, des notaires, des avocats, tous les éléments de la petite bourgeoisie canadienne-française, et Donalda, la pauvre Donalda, la victime par excellence qui attirait la sympathie et la pitié de sa grand-mère, qui n'en avait que pour les faibles et les exploités.

En apercevant son petit-fils, elle enleva ses écouteurs.

— C'est-tu assez bon, ce programme-là !

Elle en roucoulait de plaisir.

— C'est pas comme les autres niaiseries qu'on nous présente, pleins d'guidounes pis d'couchettes, comme *Lance et compte*.

Cette série était apparue au petit écran voilà une dizaine d'années et restait depuis, pour elle, le symbole absolu de la dépravation de la télévision et, plus largement, de la société québécoise. Elle en avait regardé cinq grosses minutes, était tombée sur une « scène de fesses », et n'avait pas eu besoin d'en voir davantage pour se faire une opinion.

— Y a pas de filles toutes nues là-dedans pis c'est pas moins intéressant pour autant. On comprend ce qu'y a à comprendre pis le français y est respecté. Y a pas de jurons pis de sacrage à tout bout de champ.

Elle regardait cette émission chaque midi, une heure de nostalgie par jour qui la plongeait dans un état de profonde détente. Elle esquissait un sourire de satisfaction qu'elle maintenait du générique du début jusqu'à celui de la fin et poussait, à intervalles réguliers, des rires bien sentis pour souligner chacun des mots d'esprit du curé, qui n'en manquait pas une pour dérider ses ouailles.

— C'est tranquille, remarqua Jean.

Irène lui sourit.

— Ta mère dort, elle en a bien besoin. Et Manon étudie au sous-sol. C'est pas drôle, hein, ce qui arrive avec ton père ?

— Non…

— Tu parles d'une histoire, être réquisitionné par le ministère de la Santé pour venir en aide aux victimes du verglas. Comme si on avait besoin de ça.

— C'est maman qui t'a dit ça ?

— Oui.

— …

— Quoi, qu'est-ce qu'y a?

— Non rien, rien…

Les plaines labourées des Basses-Laurentides firent leur apparition en même temps que les noms des génies derrière cette création. Elle ferma la télévision et se leva pour aller préparer le dîner de son petit-fils.

— Installe-toi, mon beau. J'reviens avec un repas qui va te r'mettre su'l'piton!

— Tu veux pas écouter les nouvelles?

— Surtout pas. Elles sont pas bonnes. Au moins, il a arrêté de pleuvoir.

Jean s'approcha de la fenêtre: c'était vrai. Il ne l'avait même pas remarqué en ouvrant la porte à l'enquêteur. Pour la première fois depuis cinq jours, plus rien ne tombait du ciel. Les arbres qui avaient tenu le coup courbaient toujours l'échine sous leur joug de glace, mais la malédiction avait cessé de s'abattre. Il décida de s'en tenir à cette bonne nouvelle. Il devait à tout prix tenter de garder le moral.

Irène revint de la cuisine avec un cabaret sur lequel trônait son repas de roi: un sandwich au poulet comme elle seule savait le faire – elle y ajoutait des oignons, de la relish et de la mayonnaise –, accompagné de chips au vinaigre et d'un Canada Dry avec une paille.

— Mange, ça va te redonner des forces.

Elle s'installa dans son La-Z-Boy, déterra une paparmane d'une de ses cachettes secrètes, la déposa sur le bout de sa langue, puis se mit à se bercer.

— C'est fou, hein, on est six ici, depuis à peine quatre jours, pis c'est chicane après chicane. Les gens sont pus capables de s'endurer, de vivre ensemble. Les choses ont bien changé depuis mon temps…

— Comment ça ?

— Les familles nombreuses, ça avait beaucoup de désagréments : fallait tout partager, se serrer la ceinture, l'intimité existait pas… Mais maudit, on avait du fun pareil ! On possédait rien, mais me semble qu'on avait tout le temps le goût de faire la fête.

Jean adorait écouter sa grand-mère lui raconter des bribes de sa vie. Cette femme était née alors que la Première Guerre mondiale faisait rage en Europe. Elle avait été témoin des grands bouleversements qui avaient marqué le XXe siècle. L'histoire intéressait Jean et il avait la chance d'avoir devant lui une personne qui avait été impliquée directement dans des événements qu'il ne connaissait qu'à travers les films et les livres. Jean profitait de toutes les occasions qu'il avait, de plus en plus rares, pour faire parler sa grand-mère. De Duplessis qu'elle admirait tant, qui avait laissé le Québec sans dette, qui «dépensait pas l'argent qu'il avait pas, lui!»; de Jean Drapeau, son autre héros politique, qui «n'augmentait pas les taxes, lui!»; de Dollard des Ormeaux, qui avait sauvé la Nouvelle-France de l'assaut des sauvages; de Frontenac qui

répondait aux Anglais par la bouche de ses canons ;
et de la grande Marguerite Bourgeoys, qui soignait
les pauvres et les Indiens à coup de courage et de cha-
pelets. Ils discutaient de tous ces glorieux Canadiens
français d'avant la Révolution tranquille qui trônaient
au panthéon d'Irène. Mais ils parlaient aussi d'elle, de
sa famille, de son parcours, des épreuves qu'elle avait
subies et des gens qui avaient parsemé son existence de
modestes bonheurs.

Jamais il n'y avait de vantardise chez Irène, d'écla-
tantes victoires ou de succès flamboyants. Il n'y avait
que cette humilité chrétienne, cet amour des déshéri-
tés qui lui avaient été transmis par les bonnes sœurs
qui avaient pris soin d'elle dès sa tendre enfance et
qu'elle considérait comme de véritables saintes. À
son tour, elle avait aidé, aimé, sauvé, sa vie durant.
Chaque journée de son existence était habitée par
cette générosité débordante et désintéressée, par le
don de soi, total, perpétuel, par le souvenir de cette
époque où dominaient la religion et le « cheuf », sans
heurts ni remises en question, sans révolution, le dos
à jamais rond.

— Vous étiez combien d'enfants dans ta famille ?

— Sept.

— C'est beaucoup.

— À l'époque, c'était pas énorme. Ton grand-père
Paul-Émile, par exemple, venait d'une famille de seize
enfants.

— Seize ! C'est fou.

— Môman en aurait eu beaucoup plus, mais elle est morte trop jeune.

— De la grippe espagnole, c'est ça ?

— La pauvre. Elle était à bout de forces. On l'a tous attrapée. Elle a guéri ses sept enfants, pis'est restée prise avec… Elle avait pus les ressources pour résister. Elle est décédée, épuisée. Seul mon frère Richard, le p'tit dernier de la famille, en a gardé des séquelles : il est devenu aveugle d'un œil. Elle l'a allaité jusqu'à la fin. Elle s'est sacrifiée pour nous.

— T'avais quel âge ?

— Deux ans. Je l'ai à peine connue.

Elle fixa le vide pendant un instant. C'était la grande douleur de sa vie. La première d'une série d'épreuves comme peu de gens en subissent au cours de leur existence.

Jean connaissait bien l'histoire. Sa mère la lui avait racontée de nombreuses fois. C'était une histoire d'amour pur et d'abandon.

Le père d'Irène s'était retrouvé du jour au lendemain avec la charge de ses sept enfants. C'était trop pour un seul homme. Il avait dû les placer un à un, chez des membres de la famille de préférence, puis dans des congrégations religieuses qui recueillaient depuis toujours les orphelins du Québec.

— Les sœurs de Jésus-Marie se sont occupées de moi jusqu'à ce que je devienne adulte. Elles m'ont tout appris. Tout. Je leur en serai éternellement reconnaissante.

— Ton père s'est jamais remarié ?

— Jamais! L'idée lui a même pas traversé l'esprit. Avec môman, il a vécu le grand amour. C'était LA femme de sa vie. Je t'ai jamais raconté leur histoire?

— Peut-être, mais je m'en souviens pus très bien.

Elle lui saisit la main.

— Écoute bien, mon Ti-Jean, c'est la plus belle histoire du monde. Mon père, Édouard qu'y s'appelait, était débardeur. Y a rencontré ma mère, Irénie, alors qu'y avaient à peine vingt ans. Y sont tombés éperdument amoureux l'un de l'autre et mon père a officiellement demandé la main de ma mère au père d'Irénie, qui a refusé de la lui accorder. Y jugeait que mon père avait pas un métier assez payant pour subvenir convenablement aux besoins d'une famille. La réputation de buveurs et de courailleux des débardeurs n'a pas aidé sa cause. La décision de mon grand-père était prise et y avait rien pour le faire changer d'idée. Ç'a jeté mes parents dans un si grand désespoir que môman a décidé de rentrer dans un couvent. Elle est allée s'enfermer, littéralement. Ça serait Édouard ou rien. Mon père, lui, s'est retroussé les manches et s'est dit qu'y montrerait au bonhomme de quoi y était fait: y a commencé à économiser son argent. Parce que pour lui aussi, c'était clair: c'était Irénie et personne d'autre.

— Y étaient vraiment décidés.

— Le mot est faible.

— Et après, qu'est-ce qui s'est passé?

— Après quelques années, ma mère en pouvait pus et a tout avoué au confessionnal: elle était amoureuse d'un homme, elle désirait passer sa vie avec lui, mais en était empêchée par son père. La sœur supérieure a compris la situation. Elle a rencontré mon grand-père et lui a tout expliqué. Devant une telle détermination, y a pas pu faire autrement que d'acquiescer au souhait de sa fille, qui a enfin pu marier Édouard. Mon père était fou de joie : y l'avait enfin pour lui, son Irénie ! Même après la mort de ma mère, y a préféré rester seul, même si y était encore jeune et qu'y a jamais manqué de propositions. L'amour, le vrai, c'est plus fort que tout.

Irène lui souriait, mais Jean lisait au fond de ses yeux une tristesse sourde qui semblait accompagner, en filigrane, chacune de ses histoires heureuses, comme si chaque grande joie cachait une tragédie qui finissait toujours par engloutir jusqu'au souvenir des rires.

— C'est une belle histoire. Vraiment. Ça montre aussi à quel point les choses étaient compliquées dans ce temps-là.

— Elles étaient compliquées, mais elles nous permettaient de les apprécier pleinement. Aujourd'hui, tout est si facile que les jeunes apprécient pus rien.

— T'exagères.

— Peut-être un peu, et j'agirais probablement de la même façon si j'étais jeune aujourd'hui. Mais à mon époque, quand on se mariait, c'était pour la vie. Y avait pas de deuxième chance. Alors qu'aujourd'hui, les gens divorcent dès la première difficulté. C'est rendu banal.

Jean ne put s'empêcher de penser à ses parents, au gâchis de leur couple, aux absences répétées de son père, aux pleurs de sa mère, à ces longues journées qu'elle passait noyée dans la brume pour endormir sa souffrance et ses angoisses, ses grandes peurs qui, lorsqu'elles s'emparaient d'elle, lui donnaient l'impression d'être une fleur fragile au beau milieu d'un feu de forêt. La phobie de Marie d'être abandonnée, de ne plus jamais pouvoir se relever, venait peut-être d'un lointain passé.

Comme si elle lisait dans ses pensées, Irène prit Jean dans ses bras et le serra. Ça lui fit du bien. De sentir cette chaleur, ce courage aussi au fond d'elle qui ne s'évanouirait pas, qui ne disparaîtrait jamais, peu importe les événements ou les revirements.

Irène desserra lentement son étreinte.

— C'est parfois compliqué, le monde des adultes, hein ?

— Parfois.

— T'en fais pas, tu vas bien t'en sortir, j'en suis certaine. T'as une force en toi qui te mènera où tu voudras. Suis-la pis tu vas être heureux.

— Tu penses ?

— Fie-toi à ton instinct. Y te trompera pas.

Elle se recala profondément dans son fauteuil et s'enfila une paparmane qu'elle suça avec férocité.

Jean voulut en savoir davantage sur le parcours de sa grand-mère.

— C'est chez les sœurs que t'as suivi ton cours d'infirmière ?

— Oui. Dans ce temps-là, quand t'étais une femme, t'avais le choix entre devenir infirmière ou institutrice. Et dès que tu te mariais, tu devais abandonner ton métier et rentrer à la maison pour t'occuper de tes enfants.

— Ça aussi, ç'a beaucoup changé.

— On était pas malheureuses pour autant.

— T'es restée infirmière longtemps?

— Quelques années, mais j'aimais pas tellement ça. Côtoyer des corps nus du matin au soir, ça m'écœurait un peu. Ma sœur Hermine a adoré ce métier, mais moi, j'avais pas la vocation. Alors j'suis devenue professeure, jusqu'à mon mariage avec ton grand-père Paul-Émile.

— Et votre mariage, c'en était aussi un d'amour?

Elle éclata de rire.

— T'es un p'tit curieux, toi! Mais c'est ben correct de même. Des mauvaises questions, ça existe pas.

— Alors?

— Alors oui, c'était un mariage d'amour. Tu veux connaître notre histoire?

— C'est sûr.

Elle replaça son châle, rejeta une mèche de cheveux vers l'arrière, puis se lança, sourire aux lèvres:

— Tu me ramènes loin aujourd'hui, mon Ti-Jean. Mais on a tout notre temps pis ça me rappelle des beaux souvenirs. J'ai rencontré ton grand-père lors d'une danse. C'était en 1946, peu de temps après la guerre. À cette époque-là, j'étais pas mal naïve, j'avais à peu près rien connu d'autre que le couvent pis les hôpitaux, côtoyé que des bonnes sœurs pis des patients. J'avais encore jamais fréquenté un homme. J'avais eu des flirts, oui, mais rien de sérieux. J'avais juste pas trouvé le bon. Mais quand je l'ai vu, lui, je l'ai tout de suite trouvé à mon goût : y était habillé « full dress » comme on disait à l'époque, et y fumait de façon particulièrement élégante. On s'est regardés et y est venu me parler. Puis on a dansé pendant toute la veillée.

Elle éclata d'un grand rire sonore qui sembla la rajeunir de plusieurs décennies.

— Y avait des belles manières, ton grand-père Paul-Émile. Y m'a charmée en un rien de temps. On s'est fréquentés pendant six mois. On sortait au restaurant, au cinéma, on est même allés à l'opéra. Paul-Émile, le pauvre, y commençait à fatiguer, j'le voyais bien, pis y voulait passer aux choses sérieuses... Un jour, y a décidé que la fréquentation avait assez duré, que mon honneur était sauvegardé, et y a demandé officiellement ma main à mon père, qui a accepté avec empressement. Mon père lui a même dit, je m'en souviens comme si c'était hier : « Y était temps ! J'me demandais quand t'allais arrêter de tourner autour du pot. » Paul-Émile est resté tellement bête qu'y a pas dit un mot d'la soirée. Mon père s'était fait refuser sa demande une fois et y voyait bien qu'on s'aimait, que c'était pas d'la frime ; y avait juste hâte que Paul-Émile prenne son courage à deux mains pis qu'y passe à l'action. Dans sa tête, c'en faisait une de casée, une de moins à s'occuper. On a célébré notre mariage en grande pompe, en 1947. Ç'a été le plus beau jour de ma vie !

— As-tu des photos de ton mariage ?

Irène le regarda, surprise, puis sembla excitée à l'idée de revisiter ces grands moments d'antan.

— Quelle excellente idée, mon Ti-Jean ! Ça fait des années que j'ai pas regardé mes vieux albums de photos. Sont dans le tiroir, là, juste derrière toi.

Il y en avait une dizaine en tout, où étaient conservés les souvenirs, les visages, les moments heureux, les naissances, les mariages et les morts ; des vies entières étalées sur plus d'un siècle, résumées en quelques centaines de clichés.

Jean approcha sa chaise. Leurs têtes se frôlaient. Irène ouvrit le premier album qui racontait l'histoire de son couple, et commença à en tourner les pages. Sur les photos, Paul-Émile semblait plutôt petit, mais posait toujours fièrement, habillé comme un prince, le torse bombé comme un coq. À leur mariage, il était coiffé d'un haut-de-forme et portait avec dignité la redingote. Il fixait l'objectif sérieusement, avec une touche d'arrogance. La photo d'ensemble rassemblait les deux familles sur les marches de l'église, tachetées de guirlandes et de confettis, dans une collection de chapeaux melon, de capelines, de moustaches et de faces bêtes, qui entouraient comme autant de brebis soumises un prêtre tout-puissant qui croisait les mains contre sa bedaine proéminente avec un air satisfait. C'était il y a une cinquantaine d'années et le clergé dominait alors toutes les sphères de la société. Vingt ans plus tard, il perdrait son pouvoir. Cette photo était le témoin de la «Grande Noirceur». Elle aurait pu être datée d'il y a deux siècles tellement elle semblait appartenir à un monde dont il ne restait presque aucune trace.

Irène, quant à elle, resplendissait de bonheur et tenait à deux mains le bras de son mari, s'accrochait à son amour, comme s'il menaçait de s'envoler au moindre coup de vent. Ses traits étaient doux, ses pommettes, rondes et saillantes, et ses lèvres, généreuses. Elle portait une robe blanche plutôt sobre, qui mettait en valeur ses courbes plantureuses.

— T'étais belle!

— Pas pire, hein? À l'époque, j'me trouvais plein de défauts, mais en me regardant aujourd'hui, j'dois dire que j'étais un beau brin de fille!

Elle s'esclaffa. Ce bain de jouvence lui faisait le plus grand bien et lui redonnait des couleurs.

— Ç'a été un grand mariage d'amour. Pourtant, rien nous liait, en apparence: Paul-Émile avait été élevé en campagne, alors que j'avais à peu près jamais quitté les limites de Montréal. Y s'était pas usé le fond de culotte longtemps sur les bancs d'école, alors que j'y ai passé une bonne partie de ma vie.

Irène tournait les pages. Elle cessa de parler, absorbée, parfois pensive, parfois triste, riant souvent. Puis elle sentit le besoin de parler davantage de son mari:

— Paul-Émile avait trente-six ans quand on s'est rencontrés et y était passablement expérimenté. Y avait vécu ce qu'y avait eu à vivre, alors que j'venais tout juste d'avoir trente ans et que j'avais passé ma jeunesse à l'abri, protégée par les religieuses des hommes et des tentations. Y me restait encore beaucoup de choses à découvrir. C'est pour ça qu'on a pris notre temps avant de faire des enfants.

Jean sentit que sa grand-mère passait sa vie en revue pour la première fois depuis fort longtemps. Son sourire était mélancolique. Ça l'impressionna profondément d'imaginer qu'elle avait vu et vécu ces différentes époques, qu'elle avait affronté des embûches et des épreuves pour se retrouver aujourd'hui, plus de huit décennies après sa naissance, à regarder le film de son existence avec son petit-fils à qui il restait tout à vivre, le monde à découvrir.

— Y était pas toujours commode, mon Paul-Émile, mais mon Dieu que je l'ai aimé. C'était un homme de chaleur et de courage. Dommage qu'y ait autant souffert dans les dernières années de sa vie…

Irène devint soudain triste. Elle regarda l'avant-dernière photo de l'album, où Paul-Émile, alors jeune homme, portait une camisole blanche et s'appuyait contre une voiture américaine, les bras croisés, en fixant l'appareil d'un air décidé.

— Y a quel âge sur la photo ? demanda Jean.

— Y doit avoir à peu près dix-huit ans. C'est à Trois-Pistoles, sur la terre où y est né. On voit le fleuve, en arrière.

Il s'apprêtait à quitter le nid familial, la campagne, le crottin et son petit village pour avaler les kilomètres, découvrir le pays de l'Oncle Sam puis s'établir à Montréal, foncer vers la modernité et ainsi changer le destin de ses descendants à jamais. Son petit-fils Jean en était la preuve vivante, lui qui n'avait jamais dépassé Québec et qui ne connaissait presque rien du pays de son grand-père.

Paul-Émile était débarqué dans la métropole sans le sou, ou presque. Après quelques années, il avait fait l'acquisition, avec son salaire plus que respectable de représentant d'assurances, d'un triplex de la rue De Lanaudière, au cœur de La Petite-Patrie. C'est là où étaient nés ses trois enfants. Il avait par la suite acheté de nombreux édifices à logements, qu'il rénova un à un, puis revendit à gros prix. Avec le temps, il amassa assez d'argent pour s'offrir la demeure de ses rêves, qu'habitaient toujours sa femme et son fils Arthur, chemin de la Côte-Sainte-Catherine.

— Y a rien qui rendait ton grand-père plus fier que de recevoir sa parenté qui montait de Trois-Pistoles ou des States. Y leur faisait visiter la maison pis le quartier en leur disant qu'y habitait le quartier le plus riche du Québec. Y en rajoutait toujours une couche, mais c'est vrai que, pour un fils de fermier, y avait plutôt bien viré.

Irène était incapable de détourner le regard du visage de son jeune mari. Des larmes perlaient au coin de ses yeux. Elle ferma les paupières et deux douloureuses coulées maquillèrent ses joues. Elle ne bougeait plus, semblait chercher au fond de sa mémoire les bons mots pour retrouver sa contenance.

Marie avait déjà raconté à son fils cette période difficile que sa famille avait traversée. C'était au début des années soixante. Le patriarche mourait à petit feu du cancer du pancréas. Ses enfants étaient âgés de huit, sept et deux ans et il ne travaillait presque plus. La douleur et les médicaments le rendaient impatient, frustré, mais surtout terriblement malheureux de ne pouvoir aider, être utile et s'occuper de ceux qu'il aimait plus que tout et pour qui il avait tant sacrifié. Lui qui s'était toujours défoncé au travail, qui s'était acheté un complet avec sa première paie parce qu'il était fier, parce qu'il voulait toujours bien paraître, tiré à quatre épingles, jamais un cheveu de travers, la moustache entretenue, qui avait gravi tous les échelons jusqu'à se rendre à Outremont, était désormais condamné à errer sans but dans sa grande maison, du matin au soir, à sentir le poison l'envahir et à observer sa femme se démener, porter sur ses seules épaules le destin de sa famille à lui, l'homme courageux et orgueilleux, qui n'avait jamais attendu après personne pour aller de l'avant et faire sa vie.

Paul-Émile se sentait comme un bateau échoué, un semblant de vivant qui était désormais privé de ses capacités et dépendait de sa femme pour presque tout. Irène était retournée pratiquer son métier de maîtresse d'école, même si, à l'époque, les femmes étaient peu présentes sur le marché du travail. Elle nageait à contre-courant, mais ne le faisait pas consciemment, ni n'était motivée par de quelconques revendications féministes. Elle le faisait parce qu'elle n'avait tout simplement pas le choix. Elle s'était relevé les manches et avait plongé, tête baissée. Elle avait ainsi tenu à bout de bras une famille affligée par la maladie pendant une quinzaine d'années, sans se plaindre, en se perdant dans le travail et le sacrifice, dans la plus grande tradition catholique canadienne-française.

— Ça va, grand-maman ?

Irène sortit un mouchoir de sa manche, s'essuya les yeux puis lui répondit comme si rien de ce qu'il avait observé n'avait réellement eu lieu :

— Tout à fait. Pourquoi ?

— Tu semblais triste.

— Ben non, inquiète-toi pas. C'est juste les maudits souvenirs. Quand ça pogne, ces affaires-là… Y en a des bons pis des moins bons. Mais c'est rien que du passé, faut pas s'en faire avec ça.

Jean ne voulut pas la brusquer. N'ajouta rien. Mais il savait parfaitement ce qui s'était passé en parallèle. En plus d'enseigner à temps plein, elle avait dû retourner sur les bancs d'école pour se mettre à niveau et finir son baccalauréat, tout en continuant d'élever ses trois enfants, de soigner Paul-Émile, de préparer les repas et d'entretenir la maison.

La dernière photo de l'album avait été prise beaucoup plus tard que les autres et montrait une famille Tétreault souriante et unie, rassemblée autour d'un énorme gâteau. Des banderoles parcouraient le plafond en tous sens. Ils fêtaient l'anniversaire d'Irène. La photo avait été prise quelques années après que la maladie de son mari eut été diagnostiquée, au moment où il ne travaillait plus et était cloué à la maison. Il se tenait debout derrière sa femme, les cheveux rares, les épaules basses, le visage boursouflé, les traits tirés, l'allure négligée. Il ne restait plus rien du jeune homme ambitieux et fier qui posait les bras croisés, appuyé contre sa voiture de l'année. Il paraissait déjà mort. Un fantôme. Le seul membre de la famille à ne pas sourire. L'oncle Arthur regardait l'objectif avec l'air baveux qu'il avait conservé et tenait Marie dans ses bras musclés. Elle devait avoir huit ou neuf ans et était mignonne comme tout dans sa robe fleurie. Elle écrasait un gros bec mouillé sur la joue de sa mère, qui occupait le centre de la photo, vêtue d'un long tablier, alors que François, jeune adolescent, souriant et en pleine santé, faisait de même, sur l'autre joue. Prise en sandwich, embrassée par ses enfants chéris, Irène riait et paraissait réellement heureuse, mais les cernes qui creusaient les contours de ses yeux trahissaient une fatigue profonde. Ses cheveux, qui partaient dans toutes les directions et qui avaient perdu leur lustre d'antan, indiquaient un certain laisser-aller. Visiblement, elle n'avait plus le temps de se pomponner.

— On formait une belle famille, quand même !

Il ne restait plus grand-chose de cette époque des rassemblements qu'immortalisait cette photo : deux membres de la famille avaient été depuis longtemps emportés par la mort, et Arthur et Marie s'adressaient à peine la parole.

— Jean ?

C'était sa mère qui l'appelait au loin.

Irène lui empoigna le bras avant qu'il ne quitte son boudoir.

— On regardera les autres albums une autre fois, lui dit-elle.

— J'aimerais beaucoup ça, oui.

— C'est précieux, la vie, et si j'pouvais t'apprendre une chose ou deux en partageant mon expérience avec toi, ça me rendrait vraiment heureuse.

Elle le serra contre elle comme elle ne l'avait jamais fait auparavant. Avec force et douceur. L'émotion les envahit en même temps. Il se dégagea lentement ; il n'allait tout de même pas se mettre à pleurer devant elle. Il sortit de la pièce pour se rendre au salon.

Marie se frottait les yeux. Les rideaux étaient ouverts et la lumière inondait la pièce.

— Est-ce que ton père a donné signe de vie ?

— Y est passé hier soir, très tard. Y a déposé des provisions au sous-sol. Tu les as pas remarquées ?

— Non. Et alors ? Qu'est-ce qu'y a dit ?

Jean eut une hésitation, puis décida de soutenir la fabulation de sa mère.

— Y a été réquisitionné par le ministère de la Santé pour aider les sinistrés en détresse psychologique.

— Vraiment ? J'en étais certaine.

— Oui. Sa compagnie l'a appelé pis y a dû tout laisser tomber. Y se trouve dans le triangle noir et va tenter de te téléphoner ce soir.

— Ah, j'suis tellement soulagée ! Je l'savais qu'y pouvait pas nous abandonner comme ça.

— Ben non, maman, ben non.

— Y va revenir quand ?

— Y le savait pas. Y va sûrement dormir là, ce soir.

Elle riait. Jean fixa tristement sa mère. Une vague de rage gronda en lui. Il en voulait à son père, mais orienta sa colère contre lui-même, contre son manque de courage à révéler toute la vérité à sa mère. Mais que pouvait-il vraiment faire ? Était-ce à lui de donner le coup de grâce qui la briserait à jamais ? Était-il responsable de ce gâchis, de cette immonde lâcheté qui semblait envahir tous ceux qui l'entouraient ?

Il était encore incapable de saisir le sens de cette aventure qui, il en était convaincu, n'avait pas dévoilé toutes ses surprises. Mais ce qui était certain, c'est qu'une telle catastrophe faisait ressortir ce qu'il y avait de plus laid, mais aussi de plus beau chez ses proches. Il avait suffi de quelques gouttes de pluie pour que les membres de sa famille se mettent à nu et qu'il apprenne à vraiment les connaître. Pour le meilleur et pour le pire.

Jean poussa la lourde porte en bois de l'entrée et fut accueilli par des éclats de soleil. Les branches emprisonnées par la glace resplendissaient sous les caresses translucides de la lumière, qui leur donnaient des allures de veines humaines. Des gouttes libérées couraient le long des amas glacés et tombaient, une à une, sur le sol gelé. C'était beau. Comme l'espoir. Certains arbres argentés tenaient toujours debout, malgré les rivières de pluie verglacée qu'ils avaient encaissées ; ils s'entêtaient à supporter les assauts sans craquer, sans s'effondrer, courbant leurs branches jusqu'à l'extrême limite, décidés à tenir bon. Le paysage était surréaliste. Il ne ressemblait à rien de ce que Jean avait observé dans sa vie. Tout était lumière, réflexion et blancheur.

La chaleur du soleil lui fit le plus grand bien. L'air aussi, le vent sur son visage, dans ses poumons. Il engouffra tout l'oxygène qu'il pouvait, expulsa, les yeux fermés, la poussière et le stress accumulés. Les quatre derniers jours lui parurent avoir duré une éternité ; il eut l'impression d'être un prisonnier qui pouvait enfin espérer sa libération.

Les escaliers avaient été avalés par la glace, qui y formait un tapis uniforme dangereux. Jean tenta une avancée, mais perdit rapidement pied. Il s'accrocha *in extremis* à la rampe pour éviter de s'éclater le crâne. La fuite restait difficile ; la partie était loin d'être gagnée.

Il se tint là pendant un bon moment, à respirer cet air vivifiant.

— Eille, le jeune, ferme la porte, l'chauffage, c'pas gratis !

Manon n'était jamais loin, toujours prête à crever ses bulles de bonheur et d'insouciance, à assassiner sa solitude et son confort. Il passa devant elle, déterminé, la tête haute, sans même la regarder, puis trouva refuge dans sa chambre, fort d'une nouvelle idée qui avait germé dans son esprit : quelqu'un allait payer pour tout ce qu'il avait enduré. La vengeance serait à la hauteur de l'humiliation. Il en amorça la préparation.

De son lit, Jean tendait l'oreille. Il attendait un signal depuis plus d'une heure quand celui-ci surgit soudain du silence ambiant : Manon venait de s'enfermer dans la salle de bain et d'actionner la douche. C'était le temps ou jamais. Il avait quelques minutes pour mettre son plan à exécution, pour tenter de reprendre le contrôle de sa vie et des événements.

Il sauta de son lit, nerveux, et s'engagea dans le couloir vide. Son cœur battait si fort qu'il eut peur qu'on l'entende. Il marcha sur la pointe des pieds, dépassa le boudoir, sans se faire remarquer par sa grand-mère qui bûchait sur ses mots croisés.

Arrivé dans la cuisine, il tomba sur sa mère qui buvait tranquillement un thé. Jean mit un doigt sur sa bouche ; Marie garda le silence. Il atteignit la porte de l'escalier, l'ouvrit puis s'engagea dans la descente en colimaçon, dans un état d'excitation extrême. Il avait enfreint l'interdiction de Manon. C'était sa première victoire.

Après trois marches, entre deux briques, dans une cavité mal dissimulée, il trouva le trousseau de clés qu'il avait remarqué la veille. Il le saisit et poursuivit sa descente, fébrile.

Mais que cachait Manon derrière cette porte barrée ? Officiellement, c'était l'endroit où elle étudiait. Jean voulait en avoir le cœur net.

Il fit quelques tentatives infructueuses, puis trouva enfin la clé qui lui ouvrit la caverne d'Ali Baba. Jean eut le souffle coupé : dans une grande pièce qui avait des airs d'entrepôt s'entassaient jusqu'au plafond des centaines de boîtes de carton qui contenaient visiblement de nombreux produits électroniques neufs. Il s'approcha pour être bien certain de ce qu'il voyait. Non, il n'avait pas la berlue : partout autour de lui s'empilaient d'énormes télévisions, de coûteux lecteurs DVD, des lecteurs de CD portatifs multicolores, des ordinateurs, des écouteurs, des claviers ainsi que des micro-ondes dernier cri. Il y en avait pour des dizaines de milliers de dollars. Jean se figea littéralement au centre de tout ce stock entreposé. Il souleva quelques boîtes : elles étaient lourdes et contenaient bel et bien des objets. Qu'est-ce qui avait poussé Manon et Arthur à accumuler autant d'équipement ? Étaient-ils à la tête d'une organisation de collectionneurs maladifs ? Ou de simples acheteurs compulsifs ? Non. Jean comprit immédiatement ce qui se tramait ici. Il sourit, mais n'eut pas vraiment le temps de célébrer : sa mère tambourinait des pieds sur le plancher de la cuisine.

Il referma la porte à toute vitesse, la verrouilla, monta les marches quatre à quatre, remit les clés à leur place, puis retourna s'asseoir à côté de Marie. Sa mère lui chuchota :

— Elle vient de sortir de la salle de bain.

Son cœur battait à tout rompre, mais il était tout sourire. Il n'avait jamais été aussi fier de sa vie.

— Tu devineras jamais ce que j'ai trouvé en bas...

Sa mère lui fit signe de se taire, de crainte que Manon apparaisse. Marie serra la main de son fils et lui donna un baiser sur le front.

Jean se leva, puis se dirigea vers sa chambre. En croisant sa tante dans le corridor, il lui sourit ostensiblement.

La douce voix de Marie annonça que le souper était prêt. Ça le réveilla. Jean se leva, étourdi, avec la désagréable impression de ne pas avoir rêvé, de sortir d'un sommeil blanc, sans couleur et sans image.

Marie et Manon étaient attablées et mangeaient avec appétit leurs patates pilées, leurs petits pois vert fluo et leurs boulettes de viande hachée. Seuls Irène, terrée dans son boudoir, absorbée par le malheur des habitants du triangle noir, et Arthur, dévoué qu'il était à protéger le sort de l'humanité, brillaient par leur absence. Marie avait meilleure mine, mais restait tout de même blême. Elle dépassait systématiquement la dose prescrite de ses ordonnances depuis leur arrivée ici. Ses mains tremblaient et ses yeux étaient vitreux. Mais elle souriait, s'accrochait à ce qu'elle pouvait.

Jean les rejoignit et ils mangèrent en silence. Tout avait été dit sur les événements. Puis Manon, vêtue d'une camisole zébrée et de leggings léopard, alla remplir quatre énormes casseroles d'eau, qu'elle mit à bouillir. Attentive, elle brassa régulièrement le liquide avec une longue cuillère en bois. Malgré les provisions qu'avait rapportées Louis la veille, qui suffiraient amplement à les sustenter pendant une semaine, elle avait consacré une bonne partie de sa journée à stocker de l'eau potable au sous-sol. Tous les contenants avaient été réquisitionnés à cet effet. Visiblement, elle tenait à la vie, à sa vie, à ses cours, à son futur qu'elle sentait menacés par les éléments et les microbes qui proliféraient dans les tuyaux. Jean écrasait un à un ses petits pois, présent mais ailleurs à la fois, engourdi. Il observait sa tante, étonné tout de même de constater que c'était celle dont l'instinct de survie s'était le plus manifesté. Lui aussi ne pouvait faire autrement qu'envisager l'avenir avec inquiétude. Il avait compris que ses parents ne vivraient plus ensemble.

Jean avait bien remarqué, ces dernières années, que les voyages de son père s'étiraient toujours plus, et que le nombre de pilules que sa mère gobait augmentait sans arrêt. Mais jamais, au grand jamais, il n'avait envisagé que leur couple éclaterait. Où se retrouverait-il lorsque tout rentrerait dans l'ordre? Retournerait-il dans sa maison avec sa mère, démolie par la séparation? Une chambre l'attendait-elle chez la deuxième famille de son père? Tout était destruction et saccage. Lui-même trouverait-il la force de passer à travers? Pour l'instant, il réussissait à formuler des questions, mais était incapable de trouver quelque réponse que ce soit. Il continua d'écraser ses petits pois en tentant d'imaginer une sortie de secours.

Soudain, des coups brusques et répétés s'acharnèrent sur la porte d'entrée. Marie se leva, une pointe d'espoir au fond du regard, et se dirigea vers la source du bruit, suivie par sa belle-sœur.

C'était Arthur, qui n'arrivait pas à déverrouiller la porte et qui pénétra dans la maison dans un état d'énervement avancé. Il vociféra :

— Ostie de saint-ciboire de sacrament de saint-câlisse d'épais de tabarnak d'imbécile de junior de câlisse !

Il entra dans la cuisine telle une tornade, crachant ses sacres de rage, l'écume au bord des lèvres, les yeux injectés de sang, la moustache ruisselante, le front plissé et en sueur, le manteau entrouvert, le corps surchauffant dans un nuage de vapeur. Il s'arrêta, fixa Jean, planta son regard rempli à ras bord de méchanceté dans le sien, pendant une, deux, trois secondes. Ils se dévisagèrent sans bouger. Jean était prêt à s'élancer. Arthur cherchait quelqu'un à frapper. Jean avait fini d'encaisser, de reculer ; le temps était venu pour lui de faire face et de s'imposer. Un fil invisible liait l'oncle et le neveu, et c'était à qui allait bouger le premier… Puis les autres adultes, dépassés, s'engouffrèrent dans la pièce.

— Qu'est-ce qui s'est passé, Ti-Thur ? J'comprends pas, lança Marie.

Manon se faufila derrière son mari, et, de trois petits pas dansés, alla quérir une autre bière. Elle les collectionnait ce soir. Elle gloussait de plaisir et d'excitation, comme si le spectacle tant attendu allait enfin se déployer, sur grand écran, devant ses rétines éblouies. Elle s'installa près de la hotte, décidée à y passer la soirée.

— C't'un ostie d'junior qui a toute faite capoter… J'avais averti Charette, crisse, d'y faire attention, ostie… Ben non, y m'a pas écouté, pis y est arrivé c'qui devait arriver…

Arthur sembla se perdre dans ses explications, comme s'il avait accumulé les mots et la frustration tout au long du trajet, fulminant dans sa voiture aux vitres embuées, et qu'enfin arrivé à destination, il ne contrôlait plus son récit, que tout explosait dans une cacophonie de grimaces et de sons disproportionnés.

— Ciboire que c't'humiliant… Y sont partis avec le stock, les tabarnaks… En nous riant dans'face…

Manon ricanait, enchaînant les goulées de bière. Marie empoigna le bras frétillant de son frère, inquiète, cherchant toujours à comprendre la source de son agitation.

— Commence depuis le début, Ti-Thur. Qu'est-ce qui s'est passé?

Il s'avança, puis donna un grand coup de poing dans la porte, qui n'en était pas à ses premiers chocs. Irène hurla d'effroi dans le boudoir, Marie recula d'un pas, Manon riait maintenant librement, alors que Jean restait de glace. Arthur se précipita hors de la cuisine au moment où Irène, alertée, émergeait de sa grotte.

Elle alla à sa rencontre, mais il s'esquiva et se mit à arpenter le corridor.

— Veux-tu ben te calmer, pour l'amour…

Chaque pas d'Arthur résonnait dans le couloir comme un coup de marteau. Il vira de bord et réapparut dans la cuisine devant Jean, qu'il assassina de nouveau du regard.

— Ostie d'jeunesse de mon cul !

Puis il poursuivit sur son élan, survolté, passa devant Manon qui ne se donna même pas la peine de se retourner, et quitta la pièce par l'autre extrémité. Marie tenta de l'agripper par la manche, mais il se défit de son emprise. Irène, qui avait plusieurs pas de retard sur lui, adressa à Jean un regard tendu en passant près de lui.

— Inquiète-toi pas, y est énervé, y dit n'importe quoi. Y va se calmer…

Elle se faisait rassurante, mais sa démarche précipitée trahissait son affolement. Dans son coin, Manon avait allumé une cigarette et restait aux premières loges du drame.

— Arrête, Ti-Thur, arrête !

Marie avait beau l'implorer, il ne faisait qu'accélérer. Ils étaient trois à tourner en rond.

— J'ai perdu la face à cause de c't'ostie d'tabarnak de recrue à marde !

Arthur frôla de nouveau Jean, s'éloigna, poursuivi par Marie qui lui enjoignait de plus en plus fermement d'arrêter, terrifiée par la possibilité que son frère, hors de lui, s'en prenne à son fils.

Manon était prise d'un fou rire tandis qu'Irène repassait à son tour dans ce ballet mal chorégraphié.

Elle risquait de se faire doubler à tout moment et de prendre un tour de retard sur son fils qui, lui, semblait décidé à courser tout le restant de la soirée. Elle ne put s'empêcher de lancer :

— Ah, les hommes, y s'énervent toujours pour rien…

— Tellement vrai, madame Tétreault !

Manon cria comme si elle répondait au sermon d'un invisible preacher américain, quelque part en Géorgie.

La tension provoquée par la crise pour le moins originale de son mari était en train de l'enfiévrer littéralement. Elle répéta son cri de ralliement, même si sa belle-mère n'était plus en vue depuis un moment :

— Tellement vrai, madame Tétreault !

Jean était trop tendu pour saisir tout le comique de la situation.

— ASSEZ !

Le hurlement de Marie traversa les murs et les tympans des habitants, lesquels se figèrent sur place.

— T'arrêtes de bouger, tu te calmes pis tu vas nous expliquer ce qui s'est passé. OK ?

Arthur stoppa sa course dans le hall, essoufflé, enragé. Marie le saisit par le bras et le traîna jusque dans la cuisine où elle l'assit sur une chaise, le plus loin possible de son fils. Arthur sembla soudainement dépassé par les événements. Marie, quant à elle, faisait preuve d'impatience et de fermeté, pour la première fois depuis leur arrivée.

— On est tannés d'endurer tes crises pis tes pétages de plombs. Tu vas nous raconter calmement ce qui est arrivé, sans bouger et sans menacer personne.

Tous regardèrent Marie, saisis par son énergie retrouvée. Arthur comprit le message.

Irène s'empressa de lui servir son souper. Manon, elle, enfilait les ronds de fumée sans bouger.

— On l'a échappé… Ostie… Toute ça pour ça… Y nous ont eus, les tabarnaks…

Arthur ruminait de sombres pensées en tentant de reprendre son souffle.

— J'aurais pas dû… J'aurais pas dû…

Il marmonnait ses regrets la tête baissée, le regard hébété, scrutant la table à la recherche d'hypothétiques explications à donner.

Irène s'appuya contre la porte, à bout de souffle, et Marie prit place près de son frère. Elle s'adressa à lui d'une voix immensément douce et avenante :

— Ti-Thur, raconte-nous ton histoire, depuis le début. Veux-tu ?

Il releva les yeux, comme au ralenti, piteux, légèrement repentant, puis sembla mettre de l'ordre dans ses idées. Manon, sentant que le spectacle manquait de carburant, s'empressa de lui déboucher une bière et de la lui donner.

Il prit une gorgée, puis se lança :

— C't'à cause du jeune, on aurait pas dû l'laisser faire…

— Le laisser faire quoi ? enchaîna Marie.

Il grimaça, avala une bonne dose d'amertume, puis s'expliqua:

— Y aurait pas dû être là, c'est toute. C'tait l'idée de Charette. Crisse de sans-dessein. C'est lui qui l'a amené. C'est l'fils de sa blonde. Un grand flanc mou qui passe ses journées à fumer d'la drogue pis à regarder la TV. Un fatigant pis un sans-cœur... Le jackpot! A en pouvait pus pis a convaincu Charette de l'emmener avec lui, de l'sortir pis d'lui montrer d'quoi. J'comprends pas... J'sais pas c'tait quoi, l'idée, au juste... Ça fait même pas trois semaines qu'y sont ensemble. En tou'es cas... Moé, j'arrive à matin aux entrepôts dans l'nord d'la ville, en avance comme d'habitude, j'bois mon premier café tranquille en faisant un p'tit tour des environs, quand j'vois-tu pas c't'agrès-là qui est assis dans l'char du gros Charette, pis qui dort tout évaché, la bouche grande ouverte. J'me dirige vers Charette, j'y fais signe de baisser sa vitre pis j'y dis: «Quessé ça qu'tu nous ramènes là? Tu sais qu'le boss aime pas les touristes!» Y me r'garde l'air piteux, me sort sa face de caniche de ruelle pis y m'répond: «C'est Linda, tu comprends, a sait pus quoi faire pour qu'y s'prenne en main. J'pouvais pas y dire non, ça va ben entre elle pis moé pis j'pense que c'est pour vrai c'te fois.» Ostie que j'étais pas content! «On est pas au parc Belmont icitte, câlisse! que j'y envoie. Tu vois-tu une pancarte "Garderie ouverte à l'année" en quèque part? On doit surveiller les plus gros entrepôts des environs pis toé tu r'tontis icitte avec ton paquet d'os pas vaillant...

Sacrament, Charette… En plus, tu y passes ton uniforme, crisse! C'pas sérieux ton affaire, ça veut dire quèqu'chose c't'uniforme-là, ça demande du respect, ça s'porte avec fierté, tu passes pas ça au premier venu parce t'espères que sa mère va porter son string quand tu vas r'venir…»

Irène se raidit brusquement, choquée.

— Bon ben, si ça vire en vulgarités ton histoire, j'aime autant pas l'entendre.

Arthur se retourna à peine vers sa mère, puis regarda un à un ses auditeurs, lentement, avec un certain désespoir au fond des yeux. La pièce était plongée dans un silence de mort. Seule la hotte aspirait la fumée de la cigarette de Manon, que le cendrier terminait de consumer. Arthur s'enfila une gorgée de courage, s'essuya le front où perlait la sueur, puis poursuivit son histoire:

— Y s'en câlissait, l'ostie! De toute: de c'que j'y disais, du danger qui nous guettait, des gangs de rue qui rôdaient, des entrepôts qu'y fallait surveiller, de notre boss à qui j'avais donné ma parole que toute serait OK, du métier, ostie, y s'crissait même du métier pis de toute c'qu'y représentait, de toute c'qui v'nait avec, de notre rôle dans'société, de nos devoirs comme gardiens d'la paix, de l'importance de notre uniforme, de ce qu'on r'présentait pour le peuple qui place sa confiance en nous autres…

Ce fut plus fort que lui, Jean étouffa un rire. Tous se tournèrent vers lui alors qu'il tentait de le contrôler.

— Tu trouves ça drôle, toé ?

Le désespoir dans le regard d'Arthur se métamorphosa en haine concentrée.

— Désolé, c'est pas ça, c'est juste nerveux…

Marie n'aimait pas la tournure des événements et fit de gros yeux à son fils.

— Continue, Ti-Thur, continue ton histoire, tu vois ben qu'y riait pas de toi, hein, Jean ?

— Ben non, ben non. Continue.

Arthur se leva d'un bond et le pointa du doigt.

— Toé, mon p'tit crisse, t'as fini d'rire de moé ! Dans ma propre maison en plus.

Les fils s'étaient touchés, sa chaise avait basculé et personne n'était plus à l'abri de rien. Marie se leva et posa ses mains sur le bras tendu de son frère, lui enjoignant de se rasseoir.

— Jean, tu vas aller dans ta chambre pendant qu'on va terminer ici avec Ti-Thur.

Jean visa la sortie, mais Arthur protesta aussitôt.

— Tu bouges pas d'icitte ! Ça va faire, le couvage. Si c't'un homme, y va rester pis y va m'écouter. C'est pour lui que j'raconte ça. Y va rester pis y va apprendre une affaire ou deux su'a vie. Au pire, ça pourra juste y servir.

Jean regarda sa mère, surprise de l'insistance de son frère. Celui-ci replaça calmement sa chaise et s'y réinstalla. Il sembla reprendre ses esprits, puis s'adressa de nouveau à son neveu :

— Ton père est pas là ?

— Y travaille, répondit Marie. Y aide les réfugiés dans le triangle noir. Y va sûrement dormir là-bas.

— Ah bon. Y en faut ben, hein ?

— C'est sûr.

— Bon, Johnny Boy, tu vas t'installer confortablement pis tu vas écouter mon histoire.

Le ton de sa voix s'était adouci. Il avait repris le contrôle de ses émotions. Il n'était plus question d'humiliation.

— Manon, sers-lui une liqueur, à soir, on est pas r'gardants.

Il esquissa un sourire, puis fit un signe de la main, incita Marie à inviter son fils à l'écouter, ce qu'elle fit, discrètement. Jean reprit sa place sur la banquette, méfiant mais impuissant. Son oncle contrôlait si bien l'atmosphère et les gens dans la maison, jouant de menaces et d'excuses, alternant entre les détonations et les apaisements, que les uns et les autres se retrouvaient prisonniers de situations où ils devaient tenter de maîtriser le dragon, tout faire pour éviter que le volcan n'entre en éruption.

— On est capables de discuter sans s'énerver, pas vrai, Johnny Boy ?

Son sourire oscillait entre le rictus et l'affection sincère.

— Ça reste à voir.

— Ben oui, ben oui, tu vas voir.

Il fit résonner son rire saccadé et nerveux. Tous se regardèrent, tentant de se donner une contenance, de saisir l'attitude à adopter, de savoir sur quel pied danser.

— Bon, quessé que j'disais?

Personne n'osa intervenir.

— Ah oui, Mathieu qui était dans l'char du gros Charette. Ce cher Mathieu... Ce beau Mathieu... Y dormait, l'pauvre. Fallait pas faire de bruit. J'ai ouvert sa porte tout, tout doucement pour pas l'déranger, pis BANG! J'l'ai r'fermée de toutes mes forces! Jamais vu un gars sauter d'même! C'pas mêlant, y était blanc comme un drap pis y tremblait comme une feuille. À l'heure qu'y est, sa mère doit être en train de frotter son fond de culotte pour enlever la trace de brake qu'y a laissée à matin. Crisse, y a dû trouver qu'sa journée commençait rough en ostie!

— Ici aussi, y commencent raide, les journées...

— Faudrait écouter, mon Johnny Boy, pis s'la fermer.

Arthur saisit sa bière à l'effigie du couguar, vida son contenu et la cogna virilement contre la table. Il fixa de nouveau les membres de son auditoire, d'un regard franc et décidé. Il ne faisait maintenant plus de doute qu'il ne les libérerait que lorsqu'il aurait tout dit. Chaque intervention ne ferait que rallonger leur détention.

Manon s'empressa de lui tendre un nouveau bibe-ron de cette grande cuvée qu'il achetait à coup de quarante-huit unités. Il prit une profonde respiration, puis poursuivit son récit:

— L'jeune était réveillé, l'gros finissait ses six beignes d'la matinée, pis moé, ben, j'buvais mon deuxième café. On pouvait enfin commencer à travailler ! Chus r'tourné dans ma Crown Victoria d'l'année pis…

Manon sortit de sa torpeur :

— Menteur, est pas de c't'année, a date de 1996.

— Ben non, a date de c't'année, tu dis n'importe quoi…

— Je l'sais, c'est mon frère qui nous l'a vendue.

— Crisse que tu m'gosses avec ça, c'pas important… Ma Crown Victoria, j'l'ai achetée c't'année, c'est-tu OK ça ? Parce que sinon, on peut en discuter toute la veillée…

Manon s'alluma une cigarette pour toute réponse. Elle savait qu'il valait mieux ne pas trop argumenter avec lui.

— Faque comme j'disais avant de m'faire interrompre pour des niaiseries, j'étais ben assis dans mon char qui était drette en face des plus gros entrepôts d'la place. C'pas des farces, pas trop savoir c'qu'y a là-dedans, on jurerait que c'est des hangars d'avions. Pis l'stock vaut une p'tite fortune. J'les checkais à travers la maudite pluie fatigante qui arrêtait pas d'pisser du ciel. J'les lâchais pas des yeux.

Il laissa échapper un court rire de satisfaction et s'humecta de nouveau le gosier, l'air suffisant.

— On était là depuis l'début d'la semaine pis y fallait toffer un autre cinq jours, jusqu'à c'que les gros trucks d'la compagnie viennent prendre le stock pis l'distribuer aux quatre coins du Québec. Ça v'nait de l'autre bout du monde ces affaires-là, du Japon, pis c'pas vrai qu'y allaient disparaître si près du but, oh que non! J'en faisais une mission personnelle. Mais toute allait ben, jusqu'à c'que l'gros Charette aille la brillante idée d'manger. Y était même pas 11 h. Y m'calle sur mon walkie-talkie: «J'ai faim, tu veux-tu quèqu'chose?» Moé, j'avais pensé à toute pis j'avais apporté mon lunch. Y était crissement pas question que j'lâche ma position. Charette, y est peut-être fort comme un ours, mais chus rusé comme un r'nard pis y sait, dans son fin fond, que sans moé y vaut moins que rien. Vous pouvez r'monter jusqu'à nos années d'club, ç'a toujours été d'même, pis y va être le premier à l'avouer. J'y réponds: «Es-tu tombé s'a tête, l'gros! Y a personne qui s'en va s'promener, on a des affaires à surveiller.» Y m'répond: «Tu comprends pas, Tétreault, c'est Mathieu qui va aller nous chercher à bouffer. Moé j'bouge pas d'icitte. Y fatigue à rien faire pis y est capable de faire ça comme un grand.» CÂLISSE, que j'me dis à moé-même: «Ostie, l'gros, es-tu sourd? Y a personne qui bouge d'icitte. C't'un ordre!» J'étais fâché noir.

— J'comprends donc! renchérit Manon, pour jeter de l'huile sur le feu.

Il n'en fallait pas davantage pour enthousiasmer Arthur qui, sentant son public à l'écoute, se mit à jouer le grand jeu, à amplifier ses mouvements, à augmenter l'intensité de ses intonations, à hurler comme s'il était à l'autre bout de la maison. Pas de doute : le conteur, ce soir, était en grande forme.

— SACRAMENT ! Y voulait l'envoyer faire des commissions avec notre uniforme su'l'dos. Avec la badge pis toute. Y voulait qu'y aille nous faire honte partout, qu'y s'promène dans l'quartier, qu'y montre à tou'es voyous pis aux membres des gangs de rue des environs que ceux qui surveillent les entrepôts sont des jeunes chieux, des paquets d'os, des ostie d'fils à leu'môman. J'y ai crié : « Accroche donc une banderole "OPEN BAR" en haut des entrepôts tant qu'à y être, crisse d'innocent ! » À quoi y pensait, l'gros ? En plus, y m'a raccroché le walkie-talkie au nez. À moé, son patron !

Le cerveau de Jean enregistrait les données par réflexe, malgré son absence mentale relative. Il n'avait plus la force de résister. Marie écoutait patiemment son frère, se disant qu'une fois son besoin d'attention rassasié, il les laisserait aller et qu'ils passeraient alors une belle soirée. Manon fumait comme une cheminée et buvait « comme une traînée », aurait dit Irène. Plus elle était étourdie et plus elle souriait niaisement.

La respiration d'Arthur s'accéléra. Ses pupilles étaient dilatées par la colère.

— Ça fait quoi, Manon, vingt-cinq ans qu'je l'connais, Charette ?

— Minimum !

— Vingt-cinq ans à soutenir un chum, à y trouver des jobs d'ins clubs pis dans'sécurité, à y refiler des filles faciles pis à y donner des conseils, à être le meilleur boss au monde… Vingt-cinq ans à l'supporter beau temps mauvais temps comme un chum, un vrai, comme un frère, pis c't'ostie-là profite d'la première occasion pour me trahir, me crisser là pis salir ma réputation auprès d'mon boss pis d'toute le milieu d'la sécurité…

Son histoire prenait une drôle de tournure. Il n'était plus tant question des entrepôts, mais de lui. De sa fierté, de sa réputation. Il était ulcéré, consumé par la haine, mais par le désespoir aussi. Il se sentait trompé au plus profond de son être.

— J'ai même pas eu l'temps d'sortir de mon char que Charette marchait déjà vers moé, l'air innocent, pendant qu'l'autre imberbe quittait les lieux… J'me suis garroché vers Charette, j'l'ai pogné par le collet pour y dire ma façon de penser : « Eille, l'gros, quessé tu penses tu fais, là ? C'est moé l'boss icitte pis c'est moé qui donne les ordres. J't'ai dit que personne bougeait d'icitte, faque personne grouille, même affaire pour l'agrès. C'est toute. On est pas en train de jouer à'marelle. On est dans une zone de guerre, de guerre contre les gangs de rue, une fucking war zone, pis j'sais pas pour toé, mais moé j'ai l'intention de défendre le stock qu'on a la responsabilité d'surveiller, à tout prix, pis d'sortir d'icitte vivant. Va falloir me passer su'l'corps avant d'toucher à un fil électrique qu'y a d'ins entrepôts. Faque réveille, l'gros, r'place-toé les idées pis fais un homme de toé ! La récréation est finie ! »

Manon se mit à applaudir son mari, ce qui ajouta au malaise ambiant. Jean et sa mère écoutaient patiemment Arthur, mais comprenaient difficilement qu'il puisse prendre son métier à ce point au sérieux. Ça dépassait l'entendement.

— Non, mais, faut l'brasser des fois, lui. J'y ai ordonné de recaller l'jeune pis d'le ramener au plus crisse. Mais y voulait pas. Ostie… Y s'est défaite de mon emprise pis y m'a poussé de toutes ses forces. J'ai r'volé de trois-quatre pieds. Pis y m'a crié des niaiseries du genre: «Tu comprends jamais rien, Tétreault. Ça fait des années que j'cherche une femme, pis l'moment qu'j'en trouve une à mon goût, tu fais toute pour fucker le chien!» Bla, bla, bla, bla, bla… Câlisse que j'ai pas d'patience avec les braillards… J'y ai dit de prendre son ostie d'trou pis de pus m'parler d'la journée. Ça aussi, c'tait un ordre. Chus r'tourné dans mon char en claquant ma porte pis j'ai ouvert la radio, pour me changer les idées pis m'dépomper. C'tait *Eye of the Tiger* qui jouait. Crisse que j'aime cette toune-là, c'est MA toune!

— Y s'en fait pus d'la musique de même, se désola Manon.

— C't'un classique. Ça m'a r'donné d'l'énergie pis ça m'a fait focusser sur ma mission. Comme Rocky, j'avais perdu une bataille, mais j'allais gagner la guerre!

Il se leva et se mit à chanter la chanson *a cappella*, emporté, soudainement victorieux. Manon ne se fit pas prier pour se joindre à lui et ils plongèrent en pleine euphorie nostalgique.

Quand ils terminèrent le dernier refrain, Jean interpella son oncle.

— C'est fini ? On peut y aller maintenant ?

— Nenon, pantoute. Tu trouves qu'ça sonne comme une fin d'histoire, ça, Johnny Boy ?

— J'trouve que ç'a assez duré, oui !

Marie intervint immédiatement, avant que ça ne dégénère :

— Ça achève, pas vrai, Ti-Thur ? Jean a eu une grosse journée pis y est fatigué.

— Y est tout l'temps fatigué, celui-là ! C'est vrai que de rien faire de sa vie, c'est ben ben fatigant, hein, l'paresseux ? Tu devrais t'trouver une job pis arrêter de t'crosser…

Marie protesta alors que Manon ricanait sournoisement, excitée par l'affrontement qui s'intensifiait.

Jean n'en pouvait plus. De son oncle qui le cherchait depuis quatre jours, depuis le moment où il avait posé les pieds dans sa maison, mais aussi de tout le reste : de ces gens qui se vautraient dans le mensonge et transformaient leur univers en une chimère grotesque. Qu'avait-il fait pour mériter un tel traitement ? Qu'avait-il fait pour se retrouver ici, entouré de fous furieux ? Il comprenait presque son père de les avoir fuis à la première occasion.

Son oncle les avait reçus les bras grands ouverts, mais jamais ils ne s'étaient réellement sentis bien, comme chez eux. Arthur était toujours là pour leur rappeler chez qui ils dormaient, qui ils dérangeaient par leur présence, à qui ils devaient la chaleur et la sécurité de leur abri. Sa position d'hôte lui conférait un pouvoir sur ses invités et pas une seconde il ne s'était privé d'en abuser. C'était minable. Jean en avait plus qu'assez.

— Tu vas-tu me laisser tranquille avec ça : j'ai juste quatorze ans !

Arthur riait, heureux d'avoir déstabilisé son neveu, de le voir se fâcher, de le sentir faiblir et d'avoir une emprise sur son humeur. Marie, malgré le stress qu'elle sentait augmenter en elle, tenta de recoller les morceaux :

— On se calme, on est tous tendus à cause du verglas, mais c'est pas une raison pour s'engueuler.

Un lourd silence emplit la pièce. Arthur sembla vouloir s'excuser.

— J'voulais pas t'insulter, Johnny Boy, c'est juste que vous autres les jeunes, vous savez pas c'est quoi travailler. C'pas d'votre faute, c'est vos parents qui vous ont élevés tout croche, dans'ouate.

Marie fut piquée au vif.

— Le jour où t'en auras élevé, un enfant, tu pourras faire la morale aux autres, pas avant !

Arthur ne s'attendait pas à une telle réplique.

— J'parlais pas d'toé, Marie, mais en général. Je l'sais, j'en vois plein de tits blancs-becs du genre à Jean qui veulent entrer dans'sécurité, qui pensent qu'y savent toute pis qui font rien qu'à leu'tête. Une génération entière de bébés gâtés qui veulent pas s'donner la peine d'écouter les plus âgés pis d'apprendre le métier.

C'est dur, gagner sa vie d'nos jours, tsé. Tu vas voir, quand tes parents vont arrêter de toute te payer, tu vas enfin comprendre c'que j'te dis. Pas avant.

— T'es pas tanné des fois de toujours radoter ? lui lança Jean.

Arthur le regarda en souriant, en parfait contrôle de la conversation.

— J'vas te répéter les mêmes affaires jusqu'à c'que tu comprennes enfin quèqu'chose. Jusqu'à c'que tu réalises c'que tu coûtes à la société.

Jean trouvait que les arguments de son oncle manquaient pour le moins de crédibilité. Après tout, lui et Manon vivaient aux crochets d'Irène.

— N'importe quoi !

Arthur ne sembla pas apprécier cette dernière réplique.

— T'es comme Charette : t'écoutes pas quand on t'parle, sacrament !

Assis sur le bout de sa chaise, les membres tendus, Arthur s'était remis à ruminer. Il regarda son neveu d'un air méchant, mais celui-ci ne baissa pas les yeux et le fixa effrontément. Marie entoura de ses bras les épaules de son frère, qui sembla se calmer momentanément.

Au lieu de l'aider à tranquilliser son mari, Manon ricanait bruyamment dans son coin, allumée par l'alcool. Puis, elle décida de le relancer :

— Continue ton histoire, Ti-Thur. J'veux savoir comment ça finit, c't'affaire-là.

Ça le fouetta, ce besoin de raconter.

Arthur passa sa main droite sur son front ruisselant de sueur, puis lissa longuement sa fine moustache noire.

— Déguédine, Ti-Thur, on a pas toute la veillée! s'impatienta Manon.

Il se secoua, flatté de ces demandes répétées, puis repartit dans son histoire du jeune, du gros et du héros.

— OK, OK, où c'est qu'j'étais rendu, donc?

— *Eye of the Tiger*, spécifia Jean.

Arthur s'esclaffa.

— Ah oui, *Eye of the Tiger*... Faque c'est ça: Charette était assis par terre pis y boudait comme un bébé la la, pis moé j'gardais l'cap dans mon char, un œil sur les entrepôts pis l'autre su'a route où j'attendais juste que l'jeune r'vienne pour que j'y serve une leçon qu'y serait pas près d'oublier. Ça faisait plus qu'une heure qu'y était parti, y était rendu midi passé, la pluie avait arrêté d'tomber. Tout d'un coup, j'aperçois une tache rouge au loin. C'tait l'char à Charette qui s'en r'venait enfin! Mais à p'têt' cinq cents mètres de moé, Mathieu s'arrête d'un coup sec, sort du char, fait des signes pis nous hurle des affaires pas comprenables. J'avais comme pas un bon feeling. J'ai appelé Charette, mais son walkie-talkie était fermé. J'ai sorti ma lampe de poche pis j'la tenais ben serré dans mes mains. L'jeune rembarque dans son char pis démarre comme un enragé, en glissant su'a glace comme un bon. C'est comme si y avait eu peur de quèqu'chose.

Avec mon expérience, c'est l'genre de chose que je r'marque tu suite. Y s'est arrêté à hauteur de Charette, qui a embarqué avec lui. Y sont r'partis comme des damnés dans ma direction. C'est là qu'j'ai entendu les roues crisser, qu'j'ai vu les deux vans noires s'enfuir su'a longue route qui mène aux entrepôts. Ç'a faite «clic» dans ma tête : c'tait à moé d'jouer. Mon heure était arrivée. J'ai sauté dans mon char, j'ai placé mon gyrophare su'l'toit pis j'ai accéléré dans un boucan d'la mort. Tabarnak! Y a personne qui allait partir avec du stock d'icitte, parole d'Arthur Tétreault! Fallait absolument que j'les rattrape avant qu'y atteignent l'autoroute parce qu'après ça, j'les perdais.

— Cibole, c'est heavy, ton affaire! commenta Manon.

— Attends, attends, c'est rien ça : j'roule à 120, 130, 150 à l'heure, le pied écrasé au plancher. Su'a glace, oubliez pas. Fallait pas déraper. J'me rapproche de plus en plus d'eux autres. Chus pompé rare!

Il se leva et mima la scène de poursuite, maniant un volant imaginaire et perçant l'horizon de son regard de feu.

— J'étais su'mon élan pis j'roulais plus vite qu'eux autres, à portée d'char, c'tait une question d'mètres, de secondes, j'me sentais comme dans un ostie d'film de James Bond. J'me suis cramponné de toutes mes forces à mon volant pis j'ai donné le premier assaut : BANG! Ostie! Direct dans l'cul d'la van! Youhou! Jamais hurlé d'même. J'étais enragé raide! Y savaient crissement pas à qui y avaient affaire, ces bandits-là! Oh que non! Y v'naient d'faire la rencontre du meilleur gardien d'sécurité d'la ville. Pis j'ai donné un deuxième assaut, à'même place : BADANG! Tiens toé, mon câlisse! Le conducteur avait toutes les misères du monde à garder sa van su'a route. Ça tanguait de tous bords tous côtés, son affaire. Y était quasiment hors combat. Fallait juste que j'y donne le coup mortel pis que j'm'attaque à l'autre van. Faque j'me tasse une tite affaire à ma gauche, j'avais dépassé les 150 km/h pis mon moteur commençait à rusher ben raide : fallait y aller là, c'tait maintenant ou jamais. J'approchais, j'approchais, j'étais à quèques secondes d'la frapper. Mais tout à coup, a tourne sec à gauche pis j'fends l'air. Câlisse de tabarnak de saint-sacrament de ciboire de crisse! J'en r'venais pas. Les deux vans avaient changé de direction et pis a fonçaient vers le quartier industriel. Vous comprenez qu'à c'te vitesse-là, c'pas facile de se r'tourner sur un dix cennes, surtout avec le verglas. J'ai réussi quand même à freiner pas pire pis à garder l'contrôle de mon char. Mes pneus boucanaient comme des cheminées, mais j'me suis repositionné pis j'étais prêt à repartir à leu' poursuite. C'tait encore jouable. Mais au moment où j'ai pesé su'l'gaz : BADANG BEDONG! L'ostie d'imbécile de jeune blanc-bec m'a foncé d'dans avec le char à Charette, pis y m'a traîné avec lui jusque dans l'fossé. Mis hors combat par sa propre équipe…

Il s'effondra sur sa chaise, vaincu et découragé.

Comme effet final, c'était particulièrement réussi. Tous étaient sous le choc.

— Quoi? T'as eu un accident? Mais t'es-tu correct? s'inquiéta Manon.

Elle se rua sur son mari et commença à lui tâter chaque membre pour s'assurer qu'il n'avait rien de brisé. Marie tendit un verre d'eau au héros en lui conseillant de se rendre immédiatement à l'hôpital. Mais il faisait le brave, celui qui en avait vu d'autres.

— Ben non, chus correct, voyons. Y avait eu l'temps d'ralentir pis l'impact a pas été si violent qu'ça. Y avait dérapé, faque à'place de m'contourner, ben y m'a traîné avec lui dans l'fossé. Non mais, faut-tu être sans-dessein rien qu'un peu!

Personne ne riait. Il impressionnait, le Ti-Thur, il impressionnait.

Manon n'en revenait tout simplement pas. Une fois son examen physique terminé, elle s'empressa d'étreindre l'employé de la journée et de lui décerner un baiser bien mérité.

— J'te dis qu'tu changes pas, toé, hein! Toujours le premier à sauter dans'mêlée pour protéger la loi et l'ordre. Un vrai justicier!

Le torse d'Arthur était sur le point d'exploser. Tant de compliments, d'honneurs, d'attention soûlaient d'autosatisfaction le policier manqué.

— J'ai juste faite ma job, tsé. J'les aurais rattrapés, pas d'doute là-dessus, si ç'avait pas été de l'autre tata…

Non mais, c'pas une garderie, la sécurité : c'est sérieux pis dangereux. Pour hommes seulement.

Entouré de sa femme et de sa sœur, il resplendissait de fierté. Jean, lui, trouvait que quelques questions restaient en suspens.

— Pis après le fossé, qu'est-ce qui s'est passé ?

Arthur parut importuné.

— Quoi, après le fossé ? Quessé qu'tu veux encore savoir, le fatigant ? T'en as pas assez eu ? L'histoire est terminée.

— Arthur, rajouta Jean, tu nous laisses sur notre appétit. As-tu réussi à sortir ta voiture du fossé ? As-tu rattrapé les voleurs ? Es-tu retourné surveiller les entrepôts ? On veut savoir, Arthur, on veut tout savoir.

Son air de vainqueur avait disparu aussi rapidement qu'il était apparu. Marie, qui avait cru elle aussi que tout était terminé et qu'elle pouvait désormais disposer, avait de la difficulté à suivre le comportement de son fils.

— Ah ! Jean, Ti-Thur est sûrement fatigué pis y aimerait probablement mieux aller se coucher… Pas vrai, Ti-Thur ?

— Pantoute ! Chus pas fatigué. Chus jamais fatigué. Pis j'peux ben répondre à ses questions niaiseuses si ça l'achale tant qu'ça.

— J'suis juste curieux, précisa Jean. Mais si tu veux pas raconter la suite, j'comprends. C'est peut-être trop pour ce soir…

Ça faisait longtemps que Jean attendait ce moment.

Arthur se racla la gorge, puis revint sur les derniers détails de son aventure :

— Ben après ça, c'est pas ben ben compliqué : oui, les gars se sont sauvés, pis moé, ben, j'ai donné une crisse de claque derrière la tête au jeune. Pis là, ben, Charette pis Mathieu m'ont aidé à sortir mon char du fossé. Pis c'pas mal ça.

— Comment « c'pas mal ça » ? Y manque encore des bouts d'histoire. T'es revenu ici à 6 h passées pis ton histoire se termine un peu après midi.

— Quessé qu'tu veux que j'te dise, Johnny Boy ? Quessé qu'tu veux savoir exactement ? C'est comme jamais assez pour toé !

Il criait maintenant, mais Jean allait continuer, nullement intimidé.

— La vérité, juste la vérité !

Arthur fulminait.

— Ben après, après j'ai conduit des heures de temps à chercher ces ostie d'enfants d'chienne qui ont volé l'stock, mais j'les ai jamais r'trouvés. C'est ça qu'tu voulais entendre, hein, Jean, c'est ça ? J'les ai jamais r'trouvés !

— …

— J'ai arrêté dans des dépanneurs, des stations-service, des restaurants, toute c'que j'trouvais su'l'bord d'la route, pis j'ai demandé au monde si y avaient vu passer deux vans noires. Mais rien, personne avait rien vu. Personne voit jamais rien dans ces ostie d'quartiers gangrenés par les gangs de rue. J'ai toute faite c'que j'ai pu, mais y avait rien à faire…

Il était hors de lui. Était humilié aussi, par la tournure des événements, par sa performance, mais surtout par ces gens, cette société qui ne les reconnaissait pas, lui et tous les autres justiciers de quartier.

— Pis t'es retourné aux entrepôts?

— Bingo! hurla-t-il. T'es un vrai p'tit génie, toé. Ben oui, chus r'tourné, quessé qu'tu penses? Que j'ai passé l'restant d'la journée à m'crosser comme toé?

— Eille, wô là, Ti-Thur, ça, c'était complètement gratuit, s'offusqua Marie.

— C'est lui qui m'pousse à boutte, Marie... Ben oui, chus r'tourné aux entrepôts. La police avait débarqué. Y en avait partout aux alentours, avec leu'lumières qui flashaient pis toute. Charette était là itou, avec Mathieu qui faisait son important en répondant aux questions des policiers. Même mon boss était là. Y sort jamais d'chez eux. Y avait pas l'air content... J'ai même pas arrêté mon char. J'ai faite demi-tour pis j'm'en suis r'venu icitte.

La lumière dorée qui illuminait son regard il y a quelques minutes à peine s'était éteinte. Arthur pencha la tête, repassa les événements un à un au ralenti, tentant de comprendre ce qu'il avait fait ou pas fait pour que l'affaire tourne si mal.

Manon était retournée à son poste d'observation et interrogeait son mari du regard.

— Ça veut-tu dire que t'as perdu ta job, ça? Parce que j'espère crissement qu'c'est pas l'cas!

Arthur devint impatient et gesticula en tous sens. Traqué comme un désespéré qui soudainement atterrit dans le box des accusés.

— Tu penses-tu vraiment que j'vas r'tourner risquer ma vie avec c'te gang d'amateurs-là? Crisse, j'mérite mieux qu'ça. J'en ai plein l'cul d'travailler pour quatre pis de jamais, jamais r'cevoir de p'tite tape dans l'dos. J'demande pas grand-chose. Juste un p'tit: «Eille, Tétreault, bravo pour ton bon travail! On sait qu'on peut toujours compter su'toé!» Ben non, c'est jamais assez pour eux autres. C'est jamais assez pour personne. J'leu'sauve des millions, mais j'ai rien en r'tour. J'commence à m'poser des sérieuses questions… Au lieu d'ça, mon boss m'appelle tantôt sur mon walkie-talkie pour me donner un char de marde pis m'dire que j'étais ben mieux de m'rendre au poste de police pour faire ma déposition. J'étais en crisse! Un peu plus pis y m'accusait d'avoir volé l'stock, tabarnak! Y a du front, l'sacrament! J'en r'venais pas…

Ce fut au tour de Manon d'être découragée.

— Maudit, Arthur! T'es jamais capable de garder tes jobs… Tu fais dur! Toujours en train de bullshiter, mais jamais capable d'opérer. Ma mère m'avait avertie pis j'aurais dû l'écouter… Chus pognée avec un ostie d'loser!

Arthur était sonné, K.-O.

La tension était à couper au couteau, mais une dernière question chicotait toujours Jean.

— Y a encore un p'tit détail qui m'agace, Arthur. Comment ça se fait que tu te sois pas rendu compte que les deux vans étaient là ?

Arthur releva la tête, les yeux grands ouverts, pris par surprise comme un chevreuil ébloui par des phares la nuit, sur l'autoroute.

— Tu dis que t'as pas quitté les entrepôts des yeux pendant toute la matinée. Mais comment ça se fait que tu les as jamais vues arriver ? Que t'as pas fait régulièrement le tour des lieux pour t'assurer que tout était en ordre ? C'est pas la base de ton métier, ça, de faire des rondes pour t'assurer que tout est OK ? En tant que chef d'équipe, t'as pas pensé une seconde que l'autre côté des entrepôts était pas sécurisé ? J'comprends juste pas. Mais tsé, j'suis pas un expert du métier comme toi. Peut-être que tu pourrais m'éclairer ?

Les yeux d'Arthur s'injectèrent de sang à une vitesse stupéfiante. Comme si les digues de son cerveau s'étaient rompues devant la marée de sa colère.

Marie était sur un pied d'alerte, prête à intervenir.

Arthur se leva en faisant reculer sa chaise de plusieurs mètres, le visage crispé, et pointa son neveu, le bras tendu à l'extrême, en crachant ses explications :

— T'es complètement bouché ou quoi ? T'écoutais-tu quand j'parlais ? Tabarnak que j't'écœuré de toujours devoir toute répéter à ces ostie d'jeunes imbéciles frappés de déficit d'attention pis qui me r'mettent toujours en question, sans crissement rien connaître du travail pis d'la vie. On vous a pas appris à respecter l'autorité, à écouter, à apprendre des plus âgés? Ciboire de crisse, ouvre tes ostie d'oreilles pour une fois pis écoute: c't'à cause du jeune à Charette qui a toute fucké l'chien, y a changé notre routine, y m'a complètement déconcentré pis y a attiré toute l'attention du quartier su'es entrepôts. Sacrament d'jeunesse! Vous êtes en train d'couler l'Québec!

Ses menaces, son agressivité n'allaient pas l'emporter cette fois-ci. Jean était déterminé à se rendre jusqu'au bout de la confrontation. Il n'avait plus peur. Arthur enchaîna:

— La vie, ça s'apprend pas d'ins livres, ça s'apprend en forçant pis en suant. Crisse de lâche, tu m'écœures, tu m'donnes envie d'vomir!

Il l'accablait d'injures, mais Jean restait calme, en surface du moins, car son cœur battait à toute allure et ses mains, qu'il cachait sous la table, tremblaient de nervosité.

— Pis l'stock qui est en bas, j'imagine que c'est arrivé tout seul ici?

Un vrombissement de bombe atomique emplit brusquement jusqu'aux fondations de la maison. Pendant quelques secondes, tout se figea. Manon n'avait pas anticipé cette affirmation. Elle en resta bouche bée. L'œil droit d'Arthur se mit à cligner comme un forcené. Il ferma les yeux puis hurla de toutes ses forces:

— AAAAAAAAAAAAHHHHHHHHHHHH!!

Marie paniquait.

Jean avait attaqué son oncle au plus profond de son estime et Arthur allait répliquer. La bête avait marché sur un piège et devait s'en défaire, à tout prix. C'était une question de survie.

Le visage d'Arthur était rouge et ses poings, serrés, prêts à cogner. Jean le fixait, assis, faisant face à sa colère.

Arthur rouvrit les yeux puis lança un sonore :

— ENFANT D'CHIENNE !

Il fit un mouvement en direction de Jean, mais Marie s'interposa en criant un «NON!» désespéré, qui le déstabilisa. Il se dirigea alors vers sa gauche, libre de toute obstruction, puis sortit de la cuisine en coup de vent. Il hurlait en parcourant la salle à manger et le couloir :

— P'tit crisse de tabarnak de ciboire que j'vas y arranger l'portrait, ça sera pas long !

Ses pas résonnaient dans toute la maison comme autant d'avertissements. Il se rapprochait dangereusement de la cuisine.

Marie pointa la porte d'une main vacillante, alors que l'autre, plaquée contre sa bouche, vibrait d'effroi. Elle était incapable d'émettre le moindre son. Les larmes coulaient sans retenue le long de ses joues.

Puis, dans un sursaut d'énergie, elle cria à Jean :

— Ferme la porte ! Maintenant !

Mais c'était trop tard : Arthur émergea et se retrouva devant Jean, menaçant. Marie hurla :

— TOUCHE-LE PAS !

Jean, par pur réflexe, leva ses bras pour se protéger la tête, puis s'étendit de tout son long sur la banquette. Arthur vociféra :

— Ça, c'est pour toé pis ta génération pourrie !

Puis son neveu sentit le mur trembler et des miettes de plâtre lui couvrir la nuque et le côté gauche du visage. Il n'osa bouger, paniqué, plongé dans un noir angoissant. Une détonation lui emplit la tête et résonna dans la pièce pendant de longues secondes : Arthur venait de claquer la porte de toutes ses forces et s'éloignait dans le corridor, faisant de même avec toutes les portes qu'il croisait sur son passage. Il s'enferma dans sa chambre. Il sacrait et distribuait avec une rare violence des coups de poing sur la porte et les murs en insultant tous les habitants présents, dans une incohérence qui laissait douter de sa lucidité.

Tranquillement, Jean rouvrit les yeux : sous la table, rien ne bougeait, tout était calme. Marie se jeta sur lui.

— Es-tu OK ?

Jean se releva, encore sous le choc, essuya de la main la poussière de plâtre, puis se retourna vers le mur, pour comprendre qu'Arthur l'avait défoncé à l'endroit exact où se trouvait, il y a quelques secondes à peine, son visage. Il était dépassé par les derniers événements, par la furie qui s'était déchaînée contre lui, même si Arthur s'était retenu à la dernière seconde de la frapper.

Marie était agrippée à ses épaules et pleurait comme une Madeleine en répétant :

— J'veux pus jamais, jamais vivre ça, pus jamais, pus jamais…

Manon avait perdu son sourire narquois et regardait son neveu la bouche ouverte. Jean parcourut lentement la pièce du regard, sa décoration démodée, les bouteilles de Wildcat entamées, ses mains épouvantées, impossibles à contrôler, puis revint à sa mère, contre qui il éclata en sanglots.

Irène, qui regardait les nouvelles avec ses écouteurs, entra dans la pièce avec beaucoup de retard. Elle découvrit sa fille et son petit-fils pleurant à chaudes larmes, constata le trou dans le mur, fit des liens et comprit à peu près ce qui venait de se produire.

— Ti-Thur s'est encore énervé?

Manon lui confirma la chose d'un hochement de tête.

— Y apprendra jamais, lui. Ah les hommes, tous pareils… C'est pas grave, hein, Jean? T'as rien, tout est OK? On oublie ça pis on passe à autre chose. La vie est trop courte pour s'en faire avec des niaiseries de même, pas vrai?

Marie se tourna vers sa mère et lui répondit:

— J'le déteste! Je l'ai toujours détesté pis j'le détesterai toujours! C'est un monstre pis tu l'as toujours protégé!

Irène ne s'attendait pas à une telle attaque de sa petite Marie, dont l'énergie l'étonna. Elle mit cela sur le compte du verglas.

Au loin, Arthur continuait de se défouler sur la porte et de hurler des menaces de représailles. Irène éclata de rire.

— Qu'est-ce que vous diriez si on commandait du St-Hubert BBQ? Prenez d'la liqueur, des desserts pis tout c'qui vous rendra heureux. C'est grand-maman qui paye!

Personne ne répondit. Marie regarda son fils avec toute la tendresse dont elle était capable et lui caressa les cheveux.

— T'avais pas à vivre ça, je m'excuse, c'est de ma faute: on aurait jamais dû venir ici. C'était une erreur. Tout ça est de ma faute...

Irène alla s'entretenir avec son fils, longuement. Encaissa d'abord ses récriminations, son ras-le-bol de n'être respecté par personne, ses cris, le laissa se défouler, puis le ton baissa graduellement et il finit par se calmer. Elle sortit de la chambre et alla rejoindre les autres dans la cuisine.

Personne n'osa quitter la pièce. Ils avaient fermé les portes, qu'ils fixaient en silence, dans la peur de son retour.

*

Après une bonne heure, Arthur leva son siège, traversa le corridor, puis sortit de la maison. La tension baissa de plusieurs crans.

Manon descendit au sous-sol faire l'inventaire des bouteilles d'eau potable. Après avoir émis quelques banalités, Irène retourna dans son boudoir écouter la télé. Marie, épuisée, se leva et fixa son fils.

— C'est quoi, le stock dont tu parlais ?

— Je t'expliquerai plus tard.

Elle n'insista pas et partit se reposer dans le salon. Quant à Jean, il put enfin mettre son plan à exécution.

Pendant ces longues minutes d'attente, il en avait élaboré les derniers détails. Il n'avait pas beaucoup de temps.

Il se précipita dans le salon, où sa mère était sur le point d'avaler des somnifères.

— Prends pas ça, on s'en va, maman.

Elle ne comprit pas.

— On s'en va où ?

— À la maison.

Il était décidé.

— Mais y a pas d'électricité.

— Je sais. C'est pas grave. On va se réchauffer.

— Non.

— Tu viens, sinon j'pars seul. Faut sortir d'ici !

Le cerveau de Marie mit quelques secondes à bien saisir les conséquences d'une telle fuite. Elle hésitait.

— Donne-moi tes pilules !

Elle lui tendit le flacon.

— Faut sortir d'ici, maman, c'est une question de survie.

Elle ne trouva rien à répondre, mais commença à faire sa valise.

Jean s'élança vers sa chambre où il revêtit des vêtements chauds, puis enfouit toutes ses choses dans son sac à dos. Il ne fallait pas réfléchir, mais avancer, poursuivre sur sa lancée et quitter cet asile d'aliénés.

Il regarda une dernière fois sa chambre de poupée, salua les fées, puis ferma la porte.

Avec le téléphone de l'entrée, il appela un taxi. Miracle, quelques-uns circulaient malgré les pénibles conditions. Le leur viendrait les chercher d'ici une dizaine de minutes.

La valise de Marie était prête. Elle enfila ses bottes et son manteau. Jean sentit qu'elle faiblissait. C'en était assez, elle ne pouvait en endurer davantage.

Il déposa son sac à dos près de la porte d'entrée. Ils étaient prêts. Mais Jean avait une dernière chose à faire avant de quitter cette maison pour de bon.

*

La porte du boudoir était partiellement fermée. Jean la poussa légèrement et s'appuya contre son cadre. Irène s'était assoupie dans son La-Z-Boy. Ses écouteurs, légèrement de travers, crachaient les dernières nouvelles.

Il l'observa sans bouger, longuement, en la prenant un peu en pitié. En la plaignant surtout de devoir endurer cette folie au quotidien, d'être confinée dans cette minuscule pièce toute la journée, alors que l'immense maison était sienne.

Irène se réveilla, le vit, puis s'empressa de se replacer, d'enlever ses écouteurs et de faire comme si tout cela n'était jamais arrivé.

— T'as pas le droit de m'espionner de même, toi !

Elle riait, mais son orgueil avait été atteint. Jean lui renvoya son sourire. Elle était belle, même vieille, même habillée de sa jaquette fleurie usée, même dépeignée et à moitié endormie. Elle paraissait vulnérable et il avait envie de la serrer contre lui, de la protéger.

— J'viens te dire qu'on part, maman et moi.

Elle réagit fortement.

— T'es pas sérieux, là? C'est de la folie. C'est dangereux dehors. Restez au moins cette nuit. L'électricité va peut-être revenir. Y ont dit aux nouvelles que les choses s'amélioraient, qu'avec un peu de chance, y pourraient rebrancher des gens d'ici douze à vingt-quatre heures.

— Oublie ça, grand-maman. Maman est sur le bord de péter au frette pis moi j'serais jamais capable de dormir en sachant qu'Arthur pourrait m'attaquer à tout moment.

— Ben voyons donc, t'exagères! Y ferait jamais ça, Ti-Thur. Y s'est calmé. J'suis allée lui parler, pis y était le premier à dire qu'y s'était emporté, pis qu'y avait exagéré. Y t'en veut pas, c'est juste qu'y travaille beaucoup, pis qu'avec tout ce qui arrive ces temps-ci, le verglas, la visite, y est un peu à fleur de peau. On est tous ben fatigués pis tannés. Faut le comprendre. Pis surtout pas lui en vouloir. Reste, Ti-Jean, fais-le pour moi.

Jean bouillait intérieurement. Toujours ce même discours qui excusait tous les excès. Il devint agressif.

— Grand-maman, y a une affaire que j'ai jamais comprise.

— Quoi donc?

— Pourquoi t'acceptes de vivre dans ces conditions? Pourquoi t'endures les colères d'Arthur pis l'air bête de Manon depuis des années? Y pourraient se débrouiller tout seuls. Tu pourrais vendre la maison pis aller vivre dans un endroit plus petit où on s'occuperait de toi et où personne t'achalerait, où tu pourrais enfin profiter de ta vieillesse sereinement. Me semble que t'as assez donné, que ça serait ENFIN le moment de penser à toi. Non?

Elle l'écouta sans réagir, puis se ferma. Il avait pensé lui faire plaisir, mais l'avait plutôt agacée. Elle emprunta un ton sec et sans appel qu'il ne lui connaissait pas:

— J'suis bien ici pis j'ai pas l'intention de déménager. Si Ti-Thur était pas là pour s'occuper de moi, j'pourrirais dans un centre de p'tits vieux entourée de libidineux pis d'faces laittes. J'veux surtout pas finir comme ça. J'comprends que t'as eu des différends avec ton oncle, mais y reste que c'est grâce à lui si j'peux continuer de profiter de ma maison pis de vivre comme j'en ai envie.

Il ne saisissait pas sa logique.

— C'est n'importe quoi!

Cela sembla piquer Irène à vif.

— Pis j'vas te dire quelque chose d'autre, mon Ti-Jean, quelque chose qu'on aurait dû te dire y a très longtemps pis qui va te faire comprendre ben des affaires.

Elle avait lancé cette phrase sous le coup de la colère et semblait maintenant hésiter à compléter sa pensée.

Jean remarqua que ses mains tremblotaient sous son chapelet.

— Ton oncle pis toi, vous êtes pareils!

Ce fut plus fort que lui, il poussa un cri :

— QUOI? Tu oses me comparer à ce malade mental? J'ai absolument rien en commun avec lui. J'comprends même pas comment ça se fait qu'on soit dans la même famille.

Jean était profondément insulté.

Irène lui sourit tristement.

— Tu te trompes, mon beau, si tu savais comme tu te trompes…

Jean se mit à avoir peur, terriblement peur. Il ne savait pas de quoi, mais sentait le moment grave. Elle lui demanda de fermer la porte, ce qu'il fit immédiatement. Il resta debout, face à elle.

— C'est plus compliqué que ça…, dit-elle.

Il attendait, silencieusement, que sa grand-mère lui assène la vérité. Nerveuse, elle prit une grande respiration.

— Comme tu sais peut-être, ta mère a pas toujours été aussi triste. Jeune, elle était un vrai p'tit rayon de soleil, elle riait tout le temps. Un condensé de bonheur qui rendait tous les gens autour d'elle heureux. Et même si la mort de François et de Paul-Émile l'a beaucoup affectée, c'est pas ça qui l'a transformée.

Elle fit une pause, fixa son petit-fils. Elle avait son attention, toute son attention. Elle continua :

— Quand ta mère était p'tite, sa meilleure amie s'appelait Ève. Elle habitait à quelques maisons d'ici. Elles étaient inséparables, ces deux-là. La beauté d'Ève était fulgurante : elle était grande et mince, elle avait des cheveux brun café et des yeux d'un vert presque turquoise, océaniques, uniques. Elle était si belle que les gens se retournaient sur les trottoirs pour pouvoir l'observer quelques secondes de plus. Eh bien, comme tout le monde, Ève a grandi, pis à l'adolescence, la p'tite princesse a mal viré pis s'est transformée en sorcière. Elle buvait, sortait, prenait toutes sortes de drogues, couchait à gauche pis à droite. Ses parents savaient plus quoi faire. Elle était devenue une si mauvaise influence pour Marie que j'lui ai interdit de la voir, ce qu'elle faisait quand même en cachette. Pis, à dix-huit ans, les deux sont parties en appartement, où Ève a continué de faire ses niaiseries…

Jean entendit du bruit. Il ouvrit la porte et aperçut sa mère qui s'allongeait dans le salon, habillée de ses vêtements d'hiver. Il trouvait que l'histoire de sa grand-mère s'étirait inutilement.

— Maman va pas bien…

Irène se raidit et éleva la voix :

— Tu bouges pas de là avant que j'aie fini mon histoire !

Il acquiesça docilement, ferma la porte et se réappuya contre celle-ci.

— J'arrive à ce qui te concerne… Un beau jour, la Ève en question est tombée enceinte. Elle avait à peine vingt-deux ans, pas de chum steady, pas de diplôme, une job comme serveuse dans un bar… C'était vraiment la galère. Ses parents, ses amies, même ta mère, tout l'monde lui a conseillé de se faire avorter : elle était tout simplement pas prête à élever un enfant. Mais contre l'avis de tous, elle a décidé de le garder. Ça dépassait l'entendement, mais personne pouvait l'empêcher : elle était majeure et vaccinée.

Par la fenêtre, Irène fixa le mur de la maison voisine en secouant la tête.

— *Faut que jeunesse se passe*, dit le proverbe, mais y a des jeunesses qui passent mieux que d'autres… Quelques mois plus tard, Ève a donné naissance à un beau p'tit garçon grouillant de santé. Ta mère l'a beaucoup aidée dans les premiers temps, mais contrairement à ce qu'on pensait, Ève s'en tirait plutôt bien. Elle avait changé ses habitudes de vie et relevait le défi que Dieu lui avait envoyé. On aurait dit que la maternité lui avait mis du plomb dans la tête. Malheureusement, le sort voyait les choses autrement…

Elle regarda son petit-fils avec des yeux infiniment tristes. Elle ne le lâcha pas du regard.

— Un bon soir de janvier, deux amis sont débarqués chez Ève et ta mère. Y leur ont proposé de se rendre dans un chalet à Val-David, dans les Laurentides. L'idée de sortir de leur minuscule appartement leur a plu pis elles ont accepté. Seulement, en chemin, dans le coin de Saint-Jérôme, une tempête s'est levée pis la route est devenue très dangereuse : y neigeait énormément pis le vent s'est mis de la partie. La visibilité est devenue pratiquement nulle. Marie m'a raconté qu'elles ont commencé à avoir très peur, mais que le chauffeur faisait son brave pis qu'y voulait affronter la tempête. Quand on est jeune, on se croit invincible. Y a rien de plus faux… C'est pas fin, fin de s'attaquer à une tempête; vaut mieux la contourner, la fuir, la déjouer, mais pas l'affronter de plain-pied… Passé Saint-Adèle, y ont dû prendre une route secondaire. Les conditions étaient horribles pis y ont été pris dans un tourbillon de neige qui les a tellement aveuglés qu'y se sont retrouvés dans la voie opposée… Mon Dieu…

Irène plaça une main sur sa bouche pour retenir l'émotion. Jean imaginait déjà le pire.

— Un dix-huit roues a foncé directement sur eux, a renversé la voiture pis l'a traînée sur plus de cent mètres…

Jean était ébranlé. Jamais sa mère n'avait mentionné cet accident.

— La minoune était complètement démolie.

— Et les passagers?

— Tous morts, sauf ta mère et le bébé.

Jean ressentit un coup au cœur, comme s'il venait de s'arrêter. Sa grand-mère hocha la tête sans rien ajouter. Il devina la suite sans l'assimiler complètement.

— C'est moi, le bébé?

— Oui, c'est toi le miraculé.

Les questions essaimaient dans sa tête. Il en attrapa une au vol.

— Ça veut dire… que maman… c'est pas ma vraie mère?

— C'est ta vraie mère, Jean, c'est elle qui t'a recueilli, qui t'a élevé pis qui t'a aimé. C'est ta seule et unique mère.

Ça changeait tout et rien à la fois. Il avait survécu. Deux fois plutôt qu'une : aux appels à l'avortement et aux caprices du temps.

— Cet accident a fragilisé Marie. Ses nerfs ont pus jamais été les mêmes. Pendant un temps, elle a continué comme avant, mais ça l'a rattrapée, pis l'hiver suivant, elle a vécu sa première chute. Heureusement, entre-temps elle avait rencontré Louis, ton père, qui l'a beaucoup aidée par la suite.

Jean absorbait toutes ces informations en tentant de recoller les pièces de son identité.

— Et mon père… mon vrai père… celui avec qui Ève m'a conçu… c'est qui ?

Irène s'avança au bord de son fauteuil et tendit ses bras vers lui.

— Approche-toi, mon Ti-Jean.

Il s'avança, s'accroupit et lui saisit les mains.

— T'es certain que tu veux aller au bout de ça ?

— Oui, au point où on est rendus, oui.

Irène trouva au fond d'elle-même la force et le courage de continuer.

— Ève s'était confiée à ta mère quelques jours avant l'accident, comme si elle avait eu un pressentiment. Elle lui a dit qui c'était. Ton père. Elle en était certaine. Ève avait gardé ça pour elle jusqu'à ce moment, parce que ç'avait été une erreur de jugement

et qu'elle voulait surtout pas t'élever avec ton père bio-
logique. Mais dans un élan de libération, elle avait tout
avoué à Marie.

— C'est qui ?

— C'est Arthur, ton oncle Arthur. Ton père, c'est
Ti-Thur !

Jean lâcha prise et recula instinctivement de plusieurs pas, jusqu'à se buter brutalement contre la porte
fermée.

— C'est pas vrai… J'te crois pas… Ça s'peut pas…

— Quand Ève est morte, Arthur a passé des tests
d'ADN. Y a aucun doute, Ti-Jean. T'es le fils d'Arthur.

Jean sentit des gouttes de sueur froide lui glacer le
dos. Il secouait la tête pour chasser cette idée.

— Y aurait pu te garder, si y avait voulu. Y devenait responsable devant la loi, mais y a refusé. Y a
choisi de continuer à faire sa musique.

— Ça s'peut juste pas…

Irène était bouleversée d'assister à la réaction de
son petit-fils.

— Je te mentirais jamais, Ti-Jean, jamais. C'est la
pure vérité.

Sonné, Jean fixait le sol, complètement cham-
boulé par cette révélation. Comment pouvait-il en
être ainsi ? Comment pouvait-il descendre de la personne qu'il détestait le plus au monde ? Il refusait d'y
croire.

— Tout le monde était au courant, sauf toi. Plus
maintenant…

Jean ne pouvait en encaisser davantage. Il tentait de bloquer les images qui s'abattaient sur lui comme des météorites, poussé par un urgent besoin de partir, de fuir cette maison, ses habitants et la vérité. Il fallait passer à l'action.

Irène avait envie de pleurer, mais rien ne sortait. Elle savait qu'elle venait de faire beaucoup de mal à son petit-fils adoré. Mais elle avait jugé qu'il était temps qu'il sache la véritable histoire de ses origines. Ça l'aiderait, elle en était certaine, à mieux avancer.

Jean quitta la pièce.

— Je t'aime, Jean! l'interpella Irène.

Il la regarda une dernière fois, puis l'abandonna dans sa prison dorée.

Il ferma la porte et s'élança vers l'entrée.

Marie dormait dans le salon.

Jean fouilla dans sa poche, trouva la carte puis signala.

La sonnerie retentit trois fois avant qu'un homme réponde.

— Enquêteur Papineau.

— C'est Jean, on s'est croisés cet après-midi.

— Oui, Jean. Ton oncle est rentré?

— Oui.

— Parfait, mais pourquoi c'est toi qui me téléphones?

— C'est pour vous dire qu'il est impliqué dans les vols des entrepôts. Y a du matériel électronique plein le sous-sol, ici.

— Vraiment?

— Oui.

— Autre chose ?

— Pour l'instant, non.

— Merci, Jean, on va aller vérifier ça.

Il raccrocha. Ne put s'empêcher de sourire, puis alla réveiller Marie.

Jean ferma la porte d'entrée derrière lui. Il se sentait soulagé. Marie et lui s'étreignirent puis regardèrent la grande maison qui brillait dans le noir avec la profonde conviction qu'ils n'y remettraient jamais plus les pieds.

Même si Jean avait appelé une demi-heure plus tôt, il n'y avait aucun taxi dans les environs. Ils décidèrent de marcher prudemment dans la rue déserte, avec leurs valises et leur courage, en direction de l'ouest. De leur maison.

Ils avançaient, animés par une indescriptible légèreté, sans s'arrêter, sans se retourner. L'important était de s'éloigner.

Ils échappaient enfin aux barreaux et respiraient un air nouveau. L'éclatement des murs, le renversement de l'enclos, l'apparition de l'horizon. Ils avaient l'impression de renaître. Ensemble. Sans passé ni souvenirs. Le compteur remis à zéro.

Le paysage autour d'eux était saccagé : des rues bordées par des montagnes de feuillus blessés, qui attendaient que les soldats viennent les broyer ; des fils électriques qui pendouillaient ici et là et d'où émergeaient, comme par magie, de petits éclairs bleutés qui illuminaient ce paysage féerique de lendemain d'apocalypse. Ils l'observaient, transformés, libres. Ils avaient survécu, survécu à cette folie, à cette violence, à leur famille. Ça leur donna confiance. En eux.

Jean se tourna vers sa mère, qu'il n'avait jamais autant aimée qu'en ce moment, et lui saisit la main.

— Je sais tout, maman.

Elle serra la sienne, sans rien ajouter. Le petit garçon en lui venait de s'envoler.

Les lâches et les manipulateurs avaient été démasqués, la vérité, étalée au grand jour. Finis les mensonges et les cachotteries. Il fallait se concentrer sur l'avenir.

Marie et Jean levèrent les yeux et, pour la première fois depuis une semaine, contemplèrent un ciel étoilé où brillait une lune d'argent. Ils sourirent et la saluèrent, le cœur rempli d'un mélange enivrant de crainte et d'espérance.

Note

L'auteur a consulté les journaux et les bulletins de nouvelles de l'époque ainsi que de nombreux ouvrages pour reconstituer le plus fidèlement possible les événements qui se sont déroulés au Québec durant les premiers jours de janvier 1998. Il s'est en outre basé sur le récit *L'enfer de glace. La tempête de verglas du siècle au jour le jour* d'Eric Pier Sperandio (éd. Trustar, 1998).

La tempête est une œuvre de fiction. Toute ressemblance entre les personnages du roman et des personnes ayant réellement existé est purement fortuite.

Table des matières

Suivez-nous :

Achevé d'imprimer en février deux mille quinze
sur les presses de l'imprimerie Marquis,
Montmagny, Québec